INTERACTIONS 1

MÉTHODE DE FRANÇAIS

A1.1

Gaël **Crépieux**
Olivier **Massé**
Jean-Philippe **Rousse**

CLE
INTERNATIONAL

www.cle-international.com

Directrice éditoriale : Béatrice Rego
Marketing : Thierry Lucas
Édition : Charline Heid-Hollaender
Couverture : Fernando San Martin
Maquette intérieur : Dagmar Stahringer
Mise en pages : AMG
Enregistrements : Bund
Vidéos : BAZ
Illustrations : Marcelo Benitez et Conrado Giusti (carte p. 90)

© CLE International, 2019.
ISBN : 978-209-038697-4

Avant-propos

Après des années d'enseignement du FLE, d'étude des publics d'apprenants de langue maternelle proche comme lointaine ainsi que de formation de professeurs, **nous proposons avec *Interactions* une méthode où, à la lumière des théories méthodologique et neurodidactique les plus récentes, l'apprentissage a été repensé au service de l'efficacité de la classe de langue.**

Une véritable approche par compétences

En rupture avec le mélange des approches et des compétences qui caractérise fréquemment les matériels pédagogiques, où l'on veut enseigner l'oral par le moyen de l'écrit ; où l'apprentissage de la communication passe par la grammaire, *Interactions* **permet un apprentissage différencié de chacun des savoir-faire spécifiques.** S'inspirant de l'approche neurolinguistique (ANL) développée par C. Germain et J. Netten, *Interactions* prend soin de permettre le développement distinct, par des types de documents et d'activités appropriés, d'*habiletés* pour l'oral, et de *savoirs* pour l'écrit, qui ressortent de types de mémoires différentes, sans oublier la constitution d'une compétence culturelle, par la présentation systématique de repères relationnels, corporels et comportementaux indispensables au dialogue avec les francophones. Ainsi est rendue possible, dans chaque page de ce manuel, **une véritable approche par compétences telle que recommandée depuis près de 20 ans par le *Cadre européen commun de référence pour les langues*** et les travaux de J.-C. Beacco.

Une méthode pour la classe

Si l'on vient en classe, c'est pour y faire ce qu'on ne peut pas faire seul ou à la maison. Ainsi, **chaque activité d'*Interactions* fait appel à la collaboration des apprenants.** Depuis les échauffements en phonétique jusqu'aux projets de classe, le travail est alors réalisé par **un co-apprentissage s'inscrivant dans une perspective actionnelle.** La motivation pour l'apprentissage d'une langue étrangère est ainsi continuellement alimentée par les interactions sociales de la classe qui préparent à celles en langue étrangère. *Interactions* s'appuie sur l'échange, l'entraide, et chaque apprenant, quel que soit son talent analytique, peut ainsi construire ses énoncés au rythme de ses aptitudes, sans que les plus rapides soient une gêne pour les plus lents ou inversement.

Une méthode pour tous

En contrepoint de « l'apprentissage à l'envers » de nombreux cours de langue où l'on commence par le plus complexe (comprendre un long document encapsulant tous les objectifs communicatifs et culturels de la leçon), pour finir par le plus motivant (échanger), *Interactions* **repense la séquence pédagogique afin que chaque moment de la classe soit gratifiant.** En adaptant les contenus aux capacités mémorielles de l'oral ; en phasant les étapes de l'apprentissage du plus essentiel au plus élaboré et non l'inverse ; en permettant le développement progressif d'une compétence de communication ; en fournissant des modèles pour chaque tâche demandée ; en favorisant systématiquement la possibilité de parler de sa propre expérience du monde par la mise à disposition d'outils immédiatement réutilisables ; *Interactions* **donne à l'apprenant, à chaque activité, et jusqu'au terme de l'apprentissage, les moyens de réussir** sans que l'effort intellectuel ne vienne entraver la joie de comprendre et de s'exprimer en langue française.

Les auteurs

Tableau des contenus

	COMPÉTENCES DE COMMUNICATION		
	ORAL	**LECTURE**	**ÉCRITURE**
Leçon 0 – Découverte	Se présenter	Présenter quelqu'un	Demander si ça va
UNITÉ 1 - Rencontres			
Leçon 1 - Contacts	Interroger sur le nom et le domicile	Tchat & Forum	Noter les identités de ses camarades
Leçon 2 - Présentations	Interroger sur la nationalité	Fiches d'hôtel	Rédiger une fiche d'identité L'écriture des sons [ɛ], [ɛ̃] [jɛ̃] et [wa]
Leçon 3 - Coordonnées	Échanger ses coordonnées	Cartes de visites	Remplir un répertoire L'usage des majuscules L'écriture des sons [a], [ɑ̃], [o] et [ɔ̃]
PROJET 1 - Réaliser le trombinoscope de la classe **Préparation au DELF A1**			
UNITÉ 2 - Envies			
Leçon 4 - Goûts	Échanger sur les goûts et les préférences	Identifier les informations d'une publicité Préférences dans des témoignages journalistiques	Noter les goûts de son entourage
Leçon 5 - Loisirs	Échanger sur les habitudes et faire une proposition	Une infographie	Noter les loisirs pratiqués par son entoura L'écriture des sons [i], [y] et [u]
Leçon 6 - Souhaits	Échanger sur la possession et sur le souhait	Une campagne de sensibilisation	Noter ce que possède son entourage L'écriture des sons [a], [ɛ], [ɑ̃] et [ɛ̃]
PROJET 2 - Trouver des idées de cadeaux d'anniversaire **Préparation au DELF A1**			
UNITÉ 3 – Endroits			
Leçon 7 - Lieux	Interroger sur une chose et situer un endroit	Courriel à la famille	Écrire un courriel pour présenter une ville
Leçon 8 - Environnement	Demander son chemin et interroger sur un endroit	Des annonces d'appartement	Présenter un quartier L'écriture des sons [s], [z] et [ʃ]
Leçon 9 - Visites	Interroger sur un lieu et sur la provenance	Carnet de voyage Lettres sonores et lettres muettes (1)	Décrire une ville ou une région
PROJET 3 - Choisir une destination de vacances pour la classe **Préparation au DELF A1**			
UNITÉ 4 – Rendez-vous			
Leçon 10 - Activités	Interroger sur l'emploi du temps et faire une proposition	Article de presse	Renseigner un agenda
Leçon 11 - Rythmes	Interroger sur les habitudes et les horaires	Échange de courriels professionnels Lettres sonores et lettres muettes (2)	Rendre compte d'un emploi du temps
Leçon 12 - Sorties	Proposer une sortie, accepter et justifier son refus	Échanges de courriels autour d'une sortie entre amis	Écrire un e-mail d'invitation Écriture des voyelles nasales
PROJET 4 - Organiser une fête avec la classe **Préparation au DELF A1**			

| COMPRÉHENSION/EXPRESSION | COMPÉTENCES LINGUISTIQUES | | COMPÉTENCES CULTURELLES |
	GRAMMAIRE	PHONÉTIQUE	
aire répéter	Faire épeler	Demander comment on dit.	
aluer, présenter quelqu'un, faire onnaissance	Les prénoms masculins et féminins L'accord du féminin La conjugaison des verbes en ~er	Les voyelles et les consonnes du français Le groupe rythmique	Le voisinage Paris (le Quartier latin) Tutoiement et vouvoiement
border quelqu'un, lui poser des uestions simples, se présenter	Le masculin et le féminin La conjugaison du verbe être La marque du pluriel	Voyelles [ɛ], [ɛ̃], [jɛ̃], [wa] Le comptage syllabique	France, Canada, Belgique : trois pays francophones Favoriser / éviter le contact
eprendre contact avec quelqu'un changer ses coordonnées excuser et rassurer	L'usage des majuscules La conjugaison du verbe avoir	Voyelles [a], [ɑ̃], [o], [ɔ̃] et consonnes [m], [t], [s], [v] La dernière syllabe plus longue	Salutations & distance corporelle
onner son avis xprimer son accord ou désaccord sur uelque chose	Les connecteurs La conjugaison des verbes en ~er L'article défini	Repérage du son [ʁ] (1) - [ʁ] devant ou derrière une voyelle La montée et la descente de la voix à la fin des phrases	Les Français et la télévision, les médias numériques L'ambiance familiale
border quelqu'un, accepter ou refuser ire ce qu'on aime faire roposer de faire quelque chose	Verbe + verbe à l'infinitif Aimer et vouloir au conditionnel L'article défini le ou l'adjectif démonstratif ce	Les voyelles [y] et [u] Les semi-voyelles [w] et [ɥ] La montée de la voix quand la phrase n'est pas finie	Les loisirs et les nouvelles technologies
onner son avis sur un objet ire ce qu'on souhaite	La réponse avec si Exprimer la possession Interroger sur la cause	Les voyelles [a], [ɑ̃], [ɛ], [ɛ̃]/[jɛ̃] avec les consonnes [p], [t], [ʃ], [m] La synthèse rythmique	Les Français et les animaux de compagnie Les cadeaux de Noël
ommenter des lieux résenter une ville	Désigner un endroit unique La préposition devant les pays Les démonstratifs	Repérage du son [ʁ] (2) – Un ou plusieurs [ʁ] devant ou derrière les voyelles [a], [o], [u], [i], [ɛ] Les consonnes finales non prononcées	Paris et sites touristiques célèbres de France, d'Europe et du monde Dialoguer entre amis
écrire un quartier	De l'article indéfini à l'article défini La négation La négation de l'article indéfini en position « objet »	Voyelles [a], [o], [u], [i], [y] & consonnes [s], [z], [ʃ], [ʒ] la lettre « s » prononcée [z] entre 2 voyelles	La ville française L'ironie
emander des renseignements anifester son intérêt	La nominalisation Quoi et qu'est-ce que La préposition de + un nom	Les voyelles non prononcées à l'oral (1) L'enchaînement et la chute du « e » final	Les régions et les spécialités (la Loire, le Languedoc, l'Alsace) Le tourisme français
arler de ses activités xprimer l'enthousiasme et l'agacement	Les pronoms toniques Les verbes aller, faire, lire, sortir, voir La préposition à + un nom	Les voyelles non prononcées à l'oral (2) Enchaînement et lettres non prononcées	Les Français et le travail Ambiance de bureau
éserver un billet au guichet e corriger et présenter ses excuses	Les verbes L'impératif	Repérage de paires minimales – Accent tonique et comptage syllabique Prosodie et place de l'accent de phrase	Bruxelles Le train en France
roposer une activité ccepter et refuser poliment	Les prépositions + un pronom tonique Les verbes vouloir, devoir et venir L'impératif à la forme négative	Voyelles nasales [ɛ̃], [ɑ̃], [ɔ̃] & consonnes [p], [b], [v], [g], [ʁ], [l] Synthèse rythmique et mélodique	Les sorties et moments de détente Les rapports entre élèves et avec le professeur

Guide de prise en main

Afin de développer une habileté à communiquer à l'oral dès le début de la classe, les auteurs d'*Interactions* recommandent de suivre la démarche, par étapes, suivante :

1. Modélisation de la réponse

- Après avoir fait manipuler lexique et structures, tel que proposé par l'activité 2, l'enseignant annonce l'objectif communicatif visé.
- L'enseignant s'appuie sur un des échanges proposés par l'activité 3 et énonce une phrase en faisant comprendre son propos par des images ou des gestes.

2. Modélisation de la question

- L'enseignant questionne un apprenant qui adapte le modèle de réponse donné par l'enseignant à son propre cas.
- L'enseignant aide l'apprenant à formuler sa réponse (indique les mots, corrige la phrase).
- Afin d'exposer la classe à des modèles de réponses possibles, plus élaborées, l'enseignant invite également des apprenants à l'interroger.
- L'enseignant questionne quelques apprenants qui adaptent la réponse modèle à leur situation personnelle.

3. Modélisation de l'échange

- L'enseignant invite des apprenants à s'interroger devant le groupe classe.
- L'enseignant s'assure que les apprenants savent questionner et répondre.

4. Échanges dialogués

- Les apprenants s'interrogent par deux (ou trois).
- L'enseignant circule dans la classe, répond aux besoins des apprenants et s'assure de la correction des phrases.

5. Évaluation orale et passage à la 3e personne

- L'enseignant interroge quelques apprenants sur ce que leurs partenaires leur ont dit. Il évalue la compréhension et amène les apprenants à rapporter une information à la troisième personne.
- *Variante :* l'enseignant demande à quelques apprenants d'en interroger d'autres (éloignés) sur ce que leurs partenaires leur ont dit.

6. Prolongement des échanges

- L'enseignant interroge la classe sur les productions entendues (« *Qui dans la classe… ?* », etc.).
- L'enseignant maintient ainsi l'écoute active des apprenants jusqu'à la fin de la séquence. Il reprend la parole pour effectuer une transition vers l'activité suivante.

Mode d'emploi

Interactions est destinée à un public de vrais débutants, grands adolescents ou adultes, et s'adapte facilement aux différents contextes d'enseignement avec des horaires aisément modulables.

• **Niveau 1 A1.1 :**	50-60 heures de cours
• **Niveau 2 A1.2 :**	50-60 heures de cours
• **Niveau 3 A2 :**	100-120 heures de cours

Le niveau A1.1 est composé d'une leçon 0, de 4 unités de 3 leçons chacune. *Interactions 1* comprend 4 unités, qui correspondent à 12-15 heures d'enseignement chacune, selon le contexte. Chaque unité est composée de 3 leçons, soit 4-5 heures d'enseignement chacune. Chaque leçon comprend 6 pages : Interaction orale, Compréhension et expression écrites, Grammaire et Compréhension et expression orales. Chaque leçon est suivie de 2 pages d'exercices à faire en autonomie hors du contexte de la classe. À la fin de chaque unité, une page Projet permet de reprendre tous les acquis des leçons précédentes et 3 pages DELF permettent de s'entraîner efficacement au DELF A1.

Vous trouverez sur l'espace digital de la méthode : **interactions.cle-international.com**, les enregistrements audio des activités, 6 séquences vidéos et des images complémentaires, à exploiter avec l'activité 4.
Les transcriptions et les corrigés de la partie Exercices se trouvent dans un livret séparé.

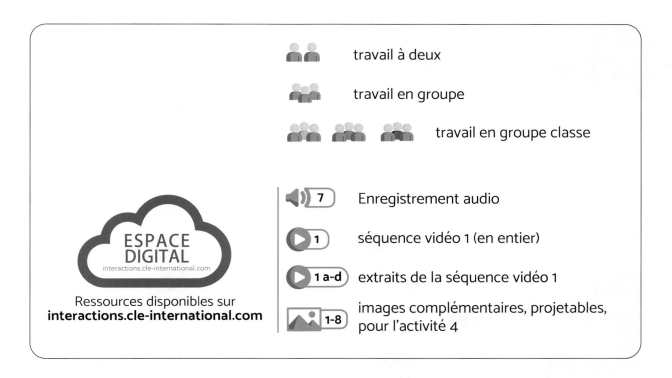

travail à deux

travail en groupe

travail en groupe classe

ESPACE DIGITAL
interactions.cle-international.com

Ressources disponibles sur
interactions.cle-international.com

🔊 7 Enregistrement audio

▶ 1 séquence vidéo 1 (en entier)

▶ 1 a-d extraits de la séquence vidéo 1

🖼 1-8 images complémentaires, projetables, pour l'activité 4

1 Écoutez et répétez. 🗣️🗣️ 🔊 1

Bonjour, je m'appelle Céline Thomas.

Moi, je m'appelle Nicolas Dubois.

Enchantée Nicolas !

Enchanté Céline !

Bonjour !

Bonsoir !

Je m'appelle Nicolas.

Enchanté ! / Enchantée !

2 Écoutez et répétez. 🗣️🗣️ 🔊 2

Enchantée, Julien !

Julien, voici Céline !

Enchanté, Céline !

Comment allez-vous ?

Ça va ?

3 Écoutez et répétez. 🗣️🗣️ 🔊 3

Comment allez-vous, Julien ?

Très bien, et vous Céline, ça va ?

Ça va.

Très bien

Bien

Ça va

Pas mal

Pas très bien
Bof...

4 Écoutez et répétez.  🔊 4

> Je m'appelle Christophe Leroy.
>
> L-E-R-O-Y
>
> L-E-R-O-Y
>
> Pardon, ça s'écrit comment « Leroy » ?
>
> Vous pouvez répéter, s'il vous plaît ?
>
> Merci.

A	B	C	D	E	F	G
[a]	[be]	[se]	[de]	[ə]	[ɛf]	[ʒe]
H	I	J	K	L	M	N
[aʃ]	[i]	[ʒi]	[ka]	[ɛl]	[ɛm]	[ɛn]
O	P	Q	R	S	T	U
[o]	[pe]	[ky]	[ɛʁ]	[ɛs]	[te]	[y]
V	W	X	Y	Z		
[ve]	[dubləve]	[iks]	[igʁɛk]	[zɛd]		

É	À / È	Â / Ê
« e » accent aigu [ə aksɑ̃ egy]	« a/e » accent grave [aə aksɑ̃ gʁav]	« a/e » accent circonflexe [aə aksɑ̃ siʁkɔ̃flɛks]
Ë	**(D)'**	**LL**
« e » tréma [ə tʁema]	« d » apostrophe [de apostʁɔf]	deux « l » [døzɛl]

5 Écoutez et écrivez. 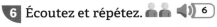 🔊 5

> **Exemple :** Je m'appelle Jean. Ça s'écrit J-E-A-N.

1. _____
2. _____
3. _____
4. _____
5. _____

6 Écoutez et répétez. 🔊 6

> Excusez-moi, comment dit-on « welcome » en français ?
>
> On dit « bienvenue ».
>
> Ça s'écrit comment ?
>
> B-I-E-N-V-E-N-U-E
>
> Merci.

> Excusez-moi, comment dit-on « welcome » en français ?
>
> Je ne sais pas.

7 Interrogez-vous.

> **Exemple :**
> **A : –** Excusez-moi, comment dit-on « thank you » en français ?
> **B : –** On dit...

POR FAVOR
GOOD MORNING
THANK YOU
OK

NICE TO MEET YOU
BUENAS NOCHES
ありがとうございます

UNITÉ 1
Rencontres

Les audios, les vidéos et les images complémentaires sont disponibles sur l'**Espace digital** : interactions.cle-international.com.

Leçon 1 • Contacts
Leçon 2 • Présentations
Leçon 3 • Coordonnées

Projet : Le trombinoscope de la classe
DELF

Leçon 1 • Contacts

S'échauffer

1 (1) Répétez après votre professeur.
(2) Écoutez l'enregistrement et entourez ce que vous entendez. 👥👥 🔊 7

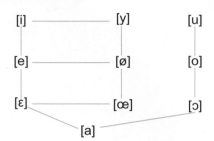

Échanger

2 (1) Répondez au professeur. (2) Puis, interrogez-vous avec le vocabulaire. 👥👥

> Exemple :

– Comment vous appelez-vous ? / Tu t'appelles comment ?
– Vous habitez où ? / Tu habites où ?

| Moi | Toi | Vous | Lui | Elle |

J'habite <u>à</u> Paris.   J'habite <u>à côté de</u> Paris.   Moi, c'est Julie.

= Je m'appelle Julie.

3 Écoutez et imitez. 👥👥 🔊 8

Bonsoir Madame.

Bonsoir Monsieur.

Je m'appelle Jean Moreau. Et vous, comment vous vous appelez-vous ?

Moi, c'est Isabelle Martin, enchantée.

Salut. Tu t'appelles comment ?

Julie. Et toi ?

Moi, c'est Alexandre.

Tu habites Alexandre

J'habite à côté de l'université.

À vous de jouer

4 Interrogez-vous à partir des images.   1-4

> Exemple :
A : – Il s'appelle comment ?
B : – Il s'appelle Arthur.
A : – Et il habite où ?
B : – Il habite à Strasbourg.
A : – Merci.

Arthur   Strasbourg

Manon   Toulouse

Youssouf   Paris

5 Jouez les scènes.

Leçon 1 • Contacts

S'échauffer

6 Écoutez, notez les groupes de syllabes comme dans l'exemple puis lisez à voix haute. 9

Le groupe rythmique

> Exemple :
Bonjour Madame, je suis ravi
de faire votre connaissance.

1. Bonjour.
2. Bonjour Monsieur.
3. Bonjour Monsieur, ravi de vous connaître.
4. Bonjour Monsieur, ravi de faire votre connaissance.

Lire

7 Repérez puis répondez.

> Exemple :
Qui est nouveau dans le quartier ?
☐ Julie   ☑ Christophe   ☐ Sophie

1. Qui habite à Grenoble ?
☐ Alexandre   ☐ Julie   ☐ Christophe

2. Qui est nouveau dans la classe ?
☐ Christophe   ☐ Camille   ☐ Julie

8 Lisez puis répondez.

> Exemple :
A : – Il habite où, Alexandre ?
B : – Il habite à Grenoble.

1. Elle habite où, Julie ?
2. Sophie habite dans le quartier de Christophe ?
3. Il habite où, Christophe ?
4. Qui est Monsieur Dujardin ?

9 Remettez ce dialogue dans l'ordre.

a. J'habite à côté de l'université. Et toi, Arthur ?
b. Bonjour, Manon ! Moi, c'est Arthur.
c. et je suis nouvelle dans la classe.
d. À côté de l'université ? Moi aussi !
e. Bonjour ! Je m'appelle Manon
f. Moi aussi, je suis nouveau.

1	2	3	4	5	6

www.forumsvoisins.org

Forum du quartier de la Grande Bibliothèque

Chris74 : Bonsoir, je m'appelle Christophe. Je suis nouveau dans le quartier.

Soso : Bonsoir Christophe. Moi, c'est Sophie. Bienvenue ! J'habite à côté de la Grande Bibliothèque. Et vous ?

Chris74 : Moi aussi ! Ravi de vous connaître.

● Répondre   ● J'aime   ● Modifier

Écrire

10 (1) Lisez, (2) recopiez puis (3) comparez avec votre voisin.

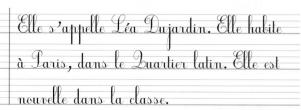

Elle s'appelle Léa Dujardin. Elle habite à Paris, dans le Quartier latin. Elle est nouvelle dans la classe.

Université de Dijon

15 septembre
Bienvenue à l'université !

👍 180 personnes aiment ça.

👍 J'aime   💬 Commenter   ➡ Partager

Camille Martin :
Bonsoir Monsieur Dujardin, je suis nouvelle dans la classe.
Enchantée.

Le professeur :
Bonsoir Camille. Ravi de faire ta connaissance. Bienvenue !

▶ Répondre – J'aime – Modifier

🔋 ▄ 13:00

Chat v2

Juju :
Salut !

Aramis :
Salut. Je m'appelle Alexandre.
Et toi ? Tu t'appelles comment ?

Juju :
Moi, c'est Julie. J'habite
à Grenoble. Et toi Alexandre ?

Aramis :
Moi aussi !!! Enchanté :-)

Juju :
Enchantée :-)

+   ...   ▶

Dictée

11 (1) Écoutez et (2) écrivez. 👥 🔊 10

Julie :

Rédiger

12 (1) Interrogez votre voisin pour compléter sa fiche, puis (2) présentez-le à un autre groupe. (3) Écoutez les présentations des autres étudiants et complétez deux autres fiches. 👥

Mon voisin

Nom

Prénom

Ville

Leçon 1 • Contacts

Les prénoms masculins et féminins

> Observez :

A : – Je m'appelle Christophe. Je suis nouv**eau** dans la classe. Enchanté !

B : – Enchant**ée**, Christophe. Moi, c'est Julie. Moi aussi, je suis nouv**elle** dans la classe.

13 Classez ces prénoms, comme dans l'exemple.

Alexandre – Julie – Jean – Michelle – Samira – Léo – Jeanne –
Léa – Stéphanie – Nicolas – Julien – Stéphane

> **Exemple :**

A : – Alexandre, c'est masculin, non ?
B : – Oui, c'est ça.

Masculin	Féminin
Alexandre	

L'accord du féminin

> Observez :

A : – Bonjour, je m'appelle Jean Moreau.
Vous êtes nouv**elle** dans le quartier ?

B : – Oui. Je m'appelle Isabelle Martin.
Je suis rav**ie** de faire votre connaissance.

A : – Enchanté, Isabelle.

Règle n° 1

• Accord du féminin

Masculin	Féminin : « ~e »
Il est enchanté [ɑ̃ʃɑ̃te]	Elle est enchant**é**e [ɑ̃ʃɑ̃te]
Il est ravi [ʁavi]	Elle est rav**i**e [ʁavi]

✋ **Attention :** *Michel est nouveau* [nuvo]
et *Camille est nouvelle* [nuvɛl].

14 Complétez puis vérifiez.

1. Julie : « Enchant......... ».

2. Alexandre : « Enchant......... ».

3. Monsieur Martin → Madame Durand : « Ravi... de faire votre connaissance ».

4. Madame Durand → Monsieur Martin : « Ravi... de faire votre connaissance ».

La conjugaison des verbes en « ~er »

> Observez :

Alexandre › Sophie : Moi, je m'appell**e** Alexandre.
Et toi, tu t'appell**es** comment ?
Mme Martin › M. Moreau : Excusez-moi... comment
vous appel**ez**-vous ?
Julie › Aramis : Elle est nouvelle dans la classe, non ?
Elle s'appell**e** comment ? Sophie ?

15 Complétez puis vérifiez.

1. Je m'appell......... _____ et j'habit... à _____.

2. Il s'appell......... Éric.

3. Elle s'appell......... Sophie.

4. Tu t'appell......... comment ?

5. Vous vous appel......... Christophe ?

Règle n° 2

• Conjugaison des verbes en « ~er »

Habit**er**	S'appel**er**
J'habit**e** à Lille.	Je m'appell**e** Isabelle.
Tu habit**es** où ?	Tu t'appell**es** comment ?
Il habit**e** à Paris.	Il s'appell**e** Jean Moreau.
Elle habit**e** à côté de Marseille.	Elle s'appell**e** Julie.
Vous habit**ez** où ?	Comment vous appel**ez**-**vous** ?

je / il / elle → ~e [.]
tu → ~es [.]
vous → ~ez [e]

S'échauffer

16 Prononcez, puis écoutez et répétez. 🔊 11

[p]		[t]		[k]	
[b]		[d]		[g]	
[m]		[n]	[ɲ]		
	[f]	[s]	[ʃ]		
	[v]	[z]	[ʒ]		
		[l]			[ʁ]

> Exemple :
[p] + [a] = [pa] ; [p] + [i] = [pi] …
[t] + [a] = [ta] ; [t] + [i] = [ti] …
[k] + [a] = [ka] ; [k] + [i] = [ki] …

Repérer

17 Regardez la vidéo et répondez. ▶1

On se tutoie ?

1. Vous entendez quoi ?

☑ *Christophe*	☐ *Christian*
1. ☐ Sylvie	☐ Sophie
2. ☐ Bonjour Christophe.	☐ Bonsoir Christophe.
3. ☐ Et vous, ça va ?	☐ Et toi, ça va ?
4. ☐ Pas bien.	☐ Pas mal.
5. ☐ Je vous présente Sophie.	☐ Je te présente Sophie.
6. ☐ Bonne journée !	☐ Bonne soirée !

2. Dites qui c'est et épelez son prénom.

> Exemple :
A : – Sur la photo 1, c'est qui ?
B : – C'est Éric.
A : – Ça s'écrit comment, Éric ?
B : – E accent aigu-R-I-C.

1 Éric
2
3
4

18 Qui le dit ? Qu'est-ce que ça veut dire ? ▶1

> Exemple :
– Qui dit « Pas mal… » ? Qu'est-ce que ça veut dire ?
→ C'est Éric. Ça veut dire « ça va bien ».

1. « Tiens, bonjour, Sophie ! »
2. « Ah bon ! »
3. « Sophie, on se tutoie ? »
4. « Avec plaisir ! »

À vous de jouer

19 Rejouez les scènes. ▶ 1 a-d

Présenter quelqu'un / saluer / prendre congé
❶ A : – Bonjour Christophe ! Comment allez-vous ?
B : – Bonjour Éric. Très bien, merci. Et vous, ça va ?
A : – Pas mal.
❷ A : – Salut Maxime, ça va ?
B : – Ça va, et toi ?
❸ A : – Christophe, je vous présente Sophie,
notre nouvelle voisine.
B : – Ah bon ! Enchanté, Sophie.
❹ A : – À bientôt Éric. Au revoir Maxime. Bonne journée !
B : – Oui, à bientôt, Christophe.

20 En situation.

❶
❷
❸
❹

Leçon 1 • Contacts

Aidez-vous des tableaux de conjugaison en pages annexes.

Communiquer

1 **Écrivez les questions.**

1. Excusez-moi madame, ... ?
   → J'habite à Nanterre, à côté de Paris.
2. Salut Pascal, ... ?
   → Ça va ! Et toi ?
3. Excusez-moi monsieur, ... ?
   → Je m'appelle Fabien Petit.
4. ...., Émilie ?
   → À Lyon. Et toi ?
5. Excuse-moi, ... ?
   → Noémie. Et toi ?
6. Bonjour madame, ... ?
   → Je vais bien, merci.

2 **Présentez ces personnes à l'aide des informations. Utilisez *il* ou *elle*.**

(Vanessa – Nice)   (Pascal – Tours)

....
....
....
....

3 **Classez ces mots dans la bonne colonne et soulignez le son [y], [u] ou [wa].**

Bonjour – bonsoir – tu – bienvenue – Julie – vous – toi – Dujardin – moi – où

[y]	[u]	[wa]
t<u>u</u>	....	m<u>oi</u>
....	....	....
....	....	....

Lire

4 **Lisez ce document et répondez aux questions.**

LA CLASSE DE FRANÇAIS
LE BLOG

Bonjour à tous,

Bienvenue sur le blog de la classe de français !
Je m'appelle Nathalie Dupré et je suis votre nouvelle professeure. Ravie de faire votre connaissance !
À vous de vous présenter.
Nathalie

Posté par Nathalie Dupré le 10 octobre à 13h40
Lien permanent - Commentaire (1)

1 Commentaire

Bonjour,

Moi, c'est Paul. J'habite dans un studio à côté de l'université. Je suis australien.
Enchanté !
Paul

Posté par Paul le 10 octobre à 15h54

▶ Répondre – J'aime – Modifier

1. C'est : ☐ un e-mail ☐ un blog ☐ un SMS.
2. Nathalie est : ☐ un homme ☐ une femme.
3. Nathalie est française ? ☐ oui ☐ non ☐ ?
4. Paul est français ? ☐ oui ☐ non
5. Comment s'appelle la prof ? ....
   ....
6. Paul est étudiant ? ☐ oui ☐ non
7. Il habite où ? ....
   ....

Écrire

5 Écoutez et écrivez. 🔊 12

....

....

....

....

....

....

6 Relisez le blog (exercice 4) et présentez-vous.

....

....

....

....

....

....

....

Écouter

7 Écoutez et cochez le son entendu. 🔊 13

	[a]	[E] = [ɛ] / [e]	[i]	[y]	[Œ] = [œ] / [ø]	[O] = [o] / [ɔ]	[u]
1.							
2.							
3.							
4.							
5.							
6.							

8 Écoutez et répondez aux questions. 🔊 14

	Situation 1	Situation 2
1. Identifiez la situation	Image ...	Image ...
2. La situation est	☐ formelle ☐ informelle	☐ formelle ☐ informelle
3. Les personnes s'appellent comment ?	– .... –	– .... – ....
4. Qui dit ?	**Garçon / fille**	**Homme / femme**
– « Salut »	– *fille*	– ....
– « Bienvenue »	–	– ....
– « Enchantée »	–	– ....
– « Ravie »	–	– ....
– « D'accord »	–	– ....

Comment dit-on dans votre langue ?

« Appelez-moi Sophie » : ....

« Euh... d'accord » : ....

Leçon 2 • Présentations

S'échauffer

1 (1) Répétez après votre professeur. (2) Écoutez l'enregistrement et entourez ce que vous entendez. 👥👥 🔊 15

Masculin	Féminin	Masculin	Féminin	Masculin	Féminin
-ais	-ai**se**	-ois	-oi**se**	-ain/-en	-ai**ne**/-en**ne**
[ɛ]	[ɛz]	[wa]	[waz]	[ɛ̃]	[ɛn]

Échanger

2 (1) Répondez au professeur. (2) Puis, interrogez-vous avec le vocabulaire. 👥👥

> Exemple :
– Vous êtes français ? / Vous êtes française ?
– Tu es musicien ? / Tu es musicienne ?

La nationalité

français	américain	italien	belge	japonais	chinois	allemand	canadien	russe
française	américaine	italienne		japonaise	chinoise	allemande	canadienne	

La profession

un avocat	un cuisinier	un écrivain	un journaliste	un médecin	un mannequin
une avocate	une cuisinière	une écrivaine	une journaliste		

un musicien	un peintre	un professeur	un étudiant	un retraité	un serveur
une musicienne	une peintre	une professeure	une étudiante	une retraitée	une serveuse

dans un magasin / **dans** une boutique	**dans** une banque	**dans** un restaurant	**dans** un café	**chez** Orange	**à la** Poste	Je ne travaille pas.

3 Écoutez et imitez.  16

> Vous êtes français ?

> Oui, et vous ?

> Moi aussi. Qu'est-ce que vous faites dans la vie ?

> Je suis journaliste. Voici ma carte.

> Tu es française ?

> Non, je suis américaine.

> Et tu fais quoi dans la vie ?

> Je suis avocate, et toi ?

À vous de jouer

4 Interrogez-vous à partir des images.

> Exemple :

A : – Quelle est sa nationalité ?
B : – Elle est belge.
A : – Et qu'est-ce qu'elle fait dans la vie ?
B : – Elle est musicienne.

5 Jouez les scènes.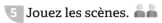

Leçon 2 • Présentations

6 Écoutez, notez les groupes de syllabes comme dans l'exemple puis lisez à voix haute. 🔊 17

> Exemple :
E/lle es/t an/glaise /et /e/lle es/t ar/tiste.

1. Il est étudiant.
2. Elle est étudiante.
3. Il est australien et il est avocat.
4. Elle est américaine et elle est médecin.

Lire

7 Repérez puis répondez.

> Exemple :
– L'hôtel s'appelle comment ?
→ Il s'appelle l'Hôtel de la Plage.

1. Qui travaille dans un restaurant ?
2. Qui est médecin ?
3. Qui est français ?

8 Lisez puis répondez.

> Exemple :
– Quelle est la nationalité de Sarah Moreau ?
→ Elle est belge.

1. Quelle est la nationalité d'Audrey Leroy ?
2. Sarah Moreau habite en France ou en Belgique ?
3. Maxime Richard habite où ?
4. Il fait quoi dans la vie ?
5. Qu'est-ce qu'elle fait dans la vie, Audrey Leroy ?

9 Faites comme dans l'exemple.

> Exemple :
Prénom : *Nathalie*

- ~~Nathalie~~
- Professeur
- Nguyen
- française
- 188 Thao Dien,
  Ho Chi Minh-Ville, Vietnam

Hôtel de la Plage

Prénom : *Audrey*

Nom : *Leroy*

Profession : *Avocate*

Adresse : *8 rue René Lévesque,*
Montréal H2Z 1Y7, Canada

Nationalité : *canadienne*

10, rue de la Corniche 83700 Saint-Raphaël
04 75 89 65 37 – hotelplage83@net.fr

Hôtel de la Plage

Prénom : *Nathalie*

Nom :

Profession :

Adresse :

Nationalité :

10, rue de la Corniche 83700 Saint-Raphaël
04 75 89 65 37 – hotelplage83@net.fr

 **Hôtel de la Plage**

Prénom : *Sarah*

Nom : *Moreau*

Profession : *Médecin*

Adresse : *6, Grand Place,*

Louvain-la-Neuve, Belgique

Nationalité : *belge*

10, rue de la Corniche 83700 Saint-Raphaël
04 75 89 65 37 – hotelplage83@net.fr

 **Hôtel de la Plage**

Prénom : *Maxime*

Nom : *Richard*

Profession : *Cuisinier*

Adresse : *5, Quai Saint-Michel,*

Paris 5e, France

Nationalité : *française*

10, rue de la Corniche 83700 Saint-Raphaël
04 75 89 65 37 – hotelplage83@net.fr

Écrire

10 (1) Lisez, (2) recopiez, puis (3) comparez avec votre voisin.

> Elle s'appelle Audrey Leroy. Elle est canadienne et elle habite à Montréal, au 8 rue René Lévesque. Elle est avocate.

Dictée

11 (1) Écoutez et (2) écrivez. 🔊 18

Ma voisine

Rédiger

12 (1) Interrogez votre voisin pour compléter sa fiche, puis (2) présentez-le à un autre groupe. (3) Écoutez les présentations des autres étudiants et complétez une autre fiche.

Prénom : ....
Nom : ....
Profession : ....
Adresse : ....
Nationalité : ....

Leçon 2 • Présentations

Le masculin et le féminin

> Observez :
– Je travaille dans une entreprise internationale.
  J'ai un collègue canadien, une collègue italienne,
  un assistant français et une assistante anglaise.
– Dans ma classe de français à Paris, il y a un écrivain ;
  il est américain. Il y a une journaliste ;
  elle est américaine. Il y a une musicienne chinoise.
  Et il y a aussi une étudiante belge
  et un étudiant russe.

• Du masculin au féminin

Terminaison au masculin	~ais [ɛ]	~ain [ɛ̃]	~ien [jɛ̃]	~ier [je]	~at [a]	~ois [wa]
Terminaison au féminin : « ~e »	~aise [ɛz]	~aine [ɛn]	~ienne [jɛn]	~ière [jɛʁ]	~ate [at]	~oise [waz]

13 Complétez puis vérifiez.

Masculin : *Il est...*	Féminin : *Elle est...*
français	*française*
....	américaine
....	indienne
....	russe
chinois	....

Masculin : *Il est...*	Féminin : *Elle est...*
avocat	....
....	cuisinière
....	journaliste
écrivain	....
....	mannequin

La conjugaison du verbe *être*

> Observez :
– Bonjour ! Je suis français. Et vous, vous êtes aussi français ?
– Oh ! Tu parles bien anglais ! Tu es anglaise ?
– Laurence et moi, nous sommes ravis de faire votre connaissance.
– Maxime et Audrey sont étudiants dans ma classe.
– Mon professeur n'est pas français, mais il parle super bien !

• Conjugaison du verbe *être*

	Le verbe « être » (verbe irrégulier)
Je	suis
Tu	es
Il / Elle	est
Nous	sommes
Vous	êtes
Ils / Elles	sont

14 Complétez puis vérifiez.

1. Je .... étudiant.
2. Tu .... musicienne ?
3. Nous .... professeurs.
4. Il .... peintre.
5. Elles .... américaines.
6. Vous .... français ?

La marque du pluriel

> Observez :
– Christophe et Éric sont étudiants. Ils sont nouveaux dans la
  classe.
– Juliette et Sarah sont françaises. Elles sont nouvelles dans le
  quartier.

• Singulier et pluriel

Terminaison au singulier	Terminaison au pluriel : « ~s »
Il est peintre.	Ils sont peintres.
Elle est américaine.	Elles sont américaines.
Il est français.	Ils sont français.

✋ Attention : Il est nouveau → Ils sont nouveaux.

15 Transformez au pluriel puis vérifiez.

> Exemple :
Il est étudiant. → Ils sont étudiants.

1. Il est écrivain. → ....
2. Elle est australienne. → ....
3. Il est serveur. → ....
4. Elle est retraitée. → ....
5. Il est anglais. → ....

S'échauffer

16 Prononcez, soulignez les sons [ɛ], [ɛ̃], [jɛ̃] et [wa]
et écrivez le mot dans le tableau.

*~~bonsoir~~ – voilà – moi – pourquoi – un médecin – bien – tiens –
français – voici – connaissance – mademoiselle*

Mots avec le son [ɛ]	Mots avec le son [ɛ̃] ou [jɛ̃]	Mots avec le son [wa]
		bonsoir

Repérer

17 Écoutez et répondez. Puis
complétez les documents.
🔊 19

Vous êtes médecin ?

> Exemple :
> ☐ Bonjour Monsieur.
> ☑ Bonsoir Monsieur.

1. ☐ S'il te plaît.   ☐ S'il vous plaît.
2. ☐ Excuse-moi.   ☐ Excusez-moi.
3. ☐ Ravi.   ☐ Enchanté.
4. ☐ Ça va.   ☐ Ça ne va pas.
5. M. Garnier est   ☐ français.   ☐ belge.
6. M. Lambert est   ☐ français.   ☐ belge.

Cabinet médical

Dr ....

10, rue de Brest, 69002 ....
Tél. : 04 78 41 30 25

HÔTEL DE FLANDRES ★★★

Fiche de renseignements.

Nom : ....   Prénom : ....

Adresse : 10, rue Vauban, 69006 ....

Profession : ....

N° de tél. : 04 78 50 25 32

---

18 Qui le dit ? Qu'est-ce que ça veut dire ? 🔊 19

> Exemple :
> – Qui dit « Voilà » ? Qu'est-ce que ça veut dire ?
> → C'est M. Lambert. Il donne sa fiche.

1. « Pardon, Monsieur. »
2. « Tiens, vous habitez à Lyon ? »
3. « Oui, oui. »
4. « Excusez-moi, mademoiselle… »

À vous de jouer

19 Rejouez les scènes. 🔊 19 a-b

Exprimer sa surprise ou son intérêt

❶ A : – Tiens, vous habitez à Lyon ?
B : – Oui, oui.
A : – Moi aussi !

❷ A : – Pardon Monsieur, vous êtes médecin ?
B : – Oui. Pourquoi ?
A : – Moi aussi, je suis médecin. Je m'appelle Frédéric
Garnier. Voici ma carte !

20 En situation.

À la réception de l'hôtel

Leçon 2 • Présentations

Aidez-vous des tableaux de conjugaison
en pages annexes.

Communiquer

1 Dites ce qu'ils font dans la vie.

> Exemple :
Elle travaille dans un hôpital. → Elle est médecin.

1. Il fait des concerts de musique classique.
   → ....

2. Elle étudie le français à l'université.
   → ....

3. Il travaille dans une école.
   → ....

4. Elle écrit des livres.
   → ....

5. Il écrit des articles dans les magazines.
   → ....

2 Voici des célébrités. Quelle est leur nationalité ?

Aidez-vous d'Internet !

1. Akira Kurosawa : ....

2. Agatha Christie : ....

3. Jeanne d'Arc : ....

4. Confucius : ....

5. Ludwig van Beethoven : ....

6. Pablo Picasso : ....

3 Classez les mots suivants selon leur nombre de syllabes.

pol/o/nais – australienne – belge – chinoise – suisse –
indien – française – coréenne – russe – journaliste – peintre –
musicien – étudiante – cuisinière

Une syllabe	Deux syllabes	Trois syllabes
....	....	polonais
....	....	....
....	....	....
....	....	....
....	....	....
....	....	....

Lire

4 Lisez ce document et répondez aux questions.

Fiche d'inscription au test de français

☐ M.   ☐ Mme   ☑ Mlle

Nom : *Simon*

Prénom : *Émilie*

Nationalité : *anglaise et française*

Langues parlées : *anglais, français*

Adresse : *30 Leicester Street, Londres*

Profession (facultatif) : *avocate*

1. C'est :
   ☐ une fiche d'inscription ☐ une carte de visite ☐ un blog

2. Émilie est : ☐ un homme   ☐ une femme.

3. Quelle est sa nationalité ?

   ....

4. Elle habite où ?

   ....

5. Elle parle quelles langues ?

   ....

6. Qu'est-ce qu'elle fait dans la vie ?

   ....

Écrire

5 Écoutez et écrivez. 🔊 20

....

....

....

....

....

....

6 Remplissez votre fiche.

Fiche d'inscription au test de français

☐ M.   ☐ Mme   ☐ Mlle

Nom : ....

Prénom : ....

Nationalité : ....

Langues parlées : ....

Adresse : ....

Profession (facultatif) : ....

Écouter

7 Écoutez. C'est masculin ou féminin ? 🔊 21

	Masculin	Féminin
1.	X	
2.		
3.		
4.		
5.		
6.		

8 **1.** Écoutez et identifiez la situation. 🔊 22

❶ ☐

☐ ❷

❸ ☐

2. Écoutez encore et remplissez la fiche. 🔊 22

Fiche d'information

Nom **Prénom**

Nationalité

Adresse

Profession (facultatif)

Comment dit-on dans votre langue ?

« Ah, très bien » : ....

« Vous êtes inscrit ! » : ....

....

Leçon 3 • Coordonnées

S'échauffer

1 (1) Répétez après votre professeur. (2) Écoutez l'enregistrement et entourez ce que vous entendez. 🗣️ 🔊 23

	[a]	[ã]	[o]	[ɔ̃]
[m]	ma	man	mo	mon
[t]	ta	tan	to	ton
[s]	sa	san	so	son
[v]	va	van	vo	von

Échanger

2 (1) Répondez au professeur. (2) Puis, interrogez-vous avec le vocabulaire. 🗣️

> **Exemple :**
> – Vous avez une adresse électronique ? / Tu as une adresse e-mail ?
> – Vous avez un numéro de portable ? / Tu as un numéro de portable ?

0 zéro [zeʁo]	1 un [œ̃]	2 deux [dø]	3 trois [tʁwa]	4 quatre [kat(ʁ)]	5 cinq [sɛ̃k]	6 six [sis]	7 sept [sɛt]	8 huit [ɥit]	9 neuf [nœf]
10 dix [dis]	11 onze [ɔ̃z]	12 douze [duz]	13 treize [tʁɛz]	14 quatorze [katɔʁz]	15 quinze [kɛ̃z]	16 seize [sɛz]	17 dix-sept [di(s)sɛt]	18 dix-huit [dizɥit]	19 dix-neuf [diznœf]

20 vingt [vɛ̃] / [vɛ̃t]	30 trente [tʁɑ̃t]	40 quarante [kaʁɑ̃t]	50 cinquante [sɛ̃kɑ̃t]	60 soixante [swasɑ̃t]	70 soixante-dix [swasɑ̃tdis]	80 quatre-vingts [katʁəvɛ̃]	90 quatre-vingt-dix [katʁəvɛ̃dis]

21 vingt et un	22 vingt-deux	31 trente et un	32 trente-deux	71 soixante et onze	72 soixante-douze	81 quatre-vingt-un	82 quatre-vingt-deux	91 quatre-vingt-onze	92 quatre-vingt-douze

100 cent [sɑ̃]	101 cent un [sɑ̃œ̃]	199 cent quatre-vingt-dix-neuf	200 deux cents

Excusez-moi !
Excuse-moi !

Voici ! / Voilà !

Tenez ! / Tiens !

une carte de visite

un numéro de portable

llafont@orange.fr
une adresse e-mail /
une adresse électronique

arobase

tiret

tiret bas

point

3 Écoutez et imitez.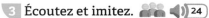

Non, mais voici mon adresse e-mail : garnier04 arobase orange point fr.

Bien sûr : garnier04 arobase orange point fr.

Excusez-moi, vous avez une carte de visite ?

Je note... garnier04... désolé, vous pouvez répéter moins vite s'il vous plaît ?

Excuse-moi... tu as un numéro de portable ?

Oui, c'est le 06 09 12 07 10.

Le 06 09 quoi ? Tu peux répéter ?

06 09 12 07 10.

C'est noté, merci !

À vous de jouer

4 Interrogez-vous à partir des images.

> Exemple :

A : – Excuse-moi, elle s'appelle comment ?
B : – Elle s'appelle Marie Perrin.
A : – Quel est son numéro de téléphone ?
B : – Son numéro, c'est le 03 05 18 11 20.
A : – Et quelle est son adresse e-mail ?
B : – ....

Marie PERRIN
Responsable de projet

03-05-18-11-20
mperrin@orange.fr

❶ **Jean-Philippe Durand**
04-10-14-18-12
jpdurand@hotmail.fr
D

Objet : Réunion
De : j_chevalier@gmail.com

Bruno,
Peux-tu me confirmer que la réunion a bien lieu aujourd'hui à 15 heures ?
Merci.
Juliette

Juliette Chevalier
05-15-03-13-08

❷

5 Jouez les scènes.

S'échauffer

6 Écoutez, notez les groupes de syllabes comme dans l'exemple puis lisez à voix haute. ◀) 25

La dernière syllabe plus longue

> Exemple :
I/l ha/bi/te au/ **trois**/ place/ du/ Mo/**lar**d, / à/ Ge/**nève**. *12 syllabes.*

1. J'habite à Paris.
2. J'habite quai Saint-Michel, à Paris.
3. J'habite au 6 quai Saint-Michel, à Paris.
4. J'habite au 6 quai Saint-Michel, à Paris, en France.

Lire

7 Repérez puis répondez.

> Exemple :
– Qui est avocat ? → C'est Benjamin Denis.

1. Qui travaille à Paris ?
2. Qui travaille dans un hôpital ?
3. Qui habite en Suisse ?

8 Lisez puis répondez.

> Exemple :
– Quelle est la profession de Romain Roux ?
→ Il est cuisinier.

1. Quel est le numéro de portable de Romain Roux ?
2. Quel est le numéro de téléphone de Sophie Nguyen ?
3. Quelle est l'adresse e-mail de Romain Roux ?
4. Quelle est l'adresse électronique de Sophie Nguyen ?

9 Faites comme dans l'exemple.

> Exemple : 1 → l'entreprise.

École de français ①
② **Émilie** ③ **SIMON**
④ Professeure
⑤ 10, rue de la Forêt 37000 Tours
⑥ Tél. 02 47 64 37 37
⑦ e-simon@ecole-de-fr.fr

- l'entreprise
- l'adresse
- le nom de famille
- l'adresse électronique
- le prénom
- le numéro de téléphone
- la profession

LA TOUR D'ARGENT

📞 06 11 08 20 12
📍 5 quai Saint-Michel 75005 Paris - France
🌐 romain-roux@latourdargent.com

ROMAIN ROUX
CUISINIER

Sophie Nguyen
Professeure de piano

Conservatoire de musique
7 rue Févret, 21000 Dijon, France

08 03 20 26 15
sophie.nguyen@ac-dijon.fr

Écrire

10 (1) Lisez, (2) recopiez, puis (3) comparez avec votre voisin.

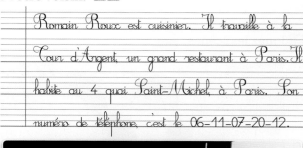

Romain Roux est cuisinier. Il travaille à la Tour d'Argent, un grand restaurant à Paris. Il habite au 4 quai Saint-Michel, à Paris. Son numéro de téléphone, c'est le 06-11-07-20-12.

MATHIEU **LAMBERT**
Dentiste

✉ Hôpital Brugmann - Bruxelles

🌐 drlambert@chu-brugmann.be

**Monfrini Crettol
& Associés**

Benjamin Denis
Avocat

eau : +41 (0) 22 100 14 15
able : +41 (7) 22 100 16 17
enis@mcswisslaw.com
ce du Molard - 1204 Genève

Dictée

11 (1) Écoutez et (2) écrivez. 👥 🔊 26

Romain

Rédiger

12 (1) Interrogez votre voisin pour compléter sa carte
de visite, puis (2) présentez-le à un autre groupe. (3) Écoutez
les présentations des autres étudiants et complétez
votre répertoire. 👥

....

✉ ....

Tél : .... / @ ....

Annuler   **Nouveau contact**   OK

ajouter une photo

Prénom

Nom

➕ ajouter un numéro

➕ ajouter une adresse e-mail

➕ ajouter une adresse

Leçon 3 • Coordonnées

L'usage des majuscules

> Observez :

– Mon voisin s'appelle Alexis. Il habite en France, mais il est suisse. Il parle français et allemand. Il travaille dans une banque, à Paris.

13 Complétez puis vérifiez.

On écrit en lettres majuscules (A, B, C, D…) et pas en minuscules (a, b, c, d…)	Oui	Non
Le début des mots		✓
Le début des phrases		
La fin des phrases		
Le début des noms (de famille, de ville, de rue, d'entreprise…), les prénoms		

Règle n° 6

● **Usage des majuscules**

> **Majuscule (A, B, C…) :**
– au début d'un nom propre → la France, Paris
– au début d'une phrase → Il est italien.

> **Pas de majuscule :**
– au pronom personnel (je, tu, il…) → Toi, tu es italien.
– pour les nationalités → Jean-Marc est français et Audrey est belge.
– pour les langues → Alexis parle français et allemand.

Exemple : C'est en France : j'habite à Paris et je suis français.

14 Corrigez puis vérifiez.

1. romain roux est cuisinier. il travaille à la tour d'argent, à paris.

_____

2. benjamin denis est avocat et il travaille à genève, 3 place du molard.

_____

3. sophie nguyen est professeure de piano, elle habite à dijon et travaille au conservatoire.

_____

4. mathieu lambert est dentiste. il travaille à l'hôpital brugmann de bruxelles.

_____

La conjugaison du verbe *avoir* (avec *je*, *tu*, *il*, *elle* et *vous*)

> Observez :

– Excusez-moi, je n'ai pas votre adresse électronique…
  Vous avez une carte de visite ?
– Dis, Valérie, tu as un numéro de portable ?
– Ton dentiste, il a une adresse e-mail ?
– Ah bon ? Elle n'a pas de téléphone portable ?

Règle n° 7

● **Conjugaison du verbe *avoir***

Le verbe « avoir » (verbe irrégulier)
J'ai un téléphone portable.
Tu as une adresse e-mail ?
Il a un numéro de téléphone ?
Elle a une carte de visite ?
Vous avez une adresse électronique ?

15 Complétez puis vérifiez.

1. J'……… une carte de visite.
2. Qui ……… un téléphone portable ?
3. Vous ……… une carte de visite ?
4. Tu ……… un numéro de portable.
5. Elle ……… une adresse e-mail.

S'échauffer

16 Prononcez, soulignez les sons [a], [ã], [o] et [ɔ̃]
puis écrivez le mot dans le tableau.

*comment – longtemps – maintenant – journaliste – artiste –
volontiers – coordonnées – mon – numéro – non – bureau –
attends – bonsoir – présente – fiancée – enchanté*

Mots avec le son [a]	Mots avec le son [ã]	Mots avec le son [o]	Mots avec le son [ɔ̃]
	comment		

Repérer

17 Regardez la vidéo et répondez.
Puis, complétez les documents.

Tu as une adresse mail ?

1. Ils s'appellent comment ?
2. Quelle est la profession de Nicolas Gautier ?
3. Qu'est-ce que Nicolas voudrait ?
4. Les cartes de visite de Nicolas sont où ?
5. Monica, c'est qui ?
6. Quelle est sa nationalité ?

....
....
*Peinture, sculpture
Restauration de tableaux*

8, rue des artistes, 75014 Paris
Tél :
Email: smorel.pro-5@mac.fr

Prénom
Nom

Profession / société

N° de tél.

E-mail

18 Qui le dit ? Qu'est-ce que ça veut dire ?

> **Exemple :**
– Qui dit « Oh ! Mais c'est Sophie Morel ! » ?
Qu'est-ce que ça veut dire ?
→ C'est Nicolas Gautier. Il est content.

1. « Oui, volontiers. »
2. « Dis, je n'ai pas tes coordonnées. »
3. « Euh... non, elles sont au bureau. »
4. « OK ! C'est bon ! »

À vous de jouer

19 Rejouez les scènes.

Reprendre contact avec quelqu'un

❶ A : – Tiens ! Nicolas Gautier ! Comment vas-tu ?
    B : – Oh ! Mais c'est Sophie Morel ! Ça fait longtemps !
        Moi ça va très bien, et toi ?
    A : – Super !
❷ A : – Qu'est-ce que tu fais, maintenant ? Tu es peintre ?
    B : – Non, je suis journaliste. Et toi ?
    A : – Moi, je suis artiste !
❸ A : – Dis, je n'ai pas tes coordonnées.
    B : – Tiens, voilà ma carte.

20 En situation.

Vous rencontrez un(e) ami(e) de longue date.

Prénom
Nom

Profession / société

N° de tél.

E-mail

Leçon 3 • Coordonnées

Communiquer

1 Écrivez le résultat.

> Exemple :
Un + un = deux (2)

1. Cinq + six = ...

2. Treize + sept = ...

3. Deux + six = ...

4. Onze + quatre = ...

5. Neuf + trois = ...

6. Vingt-sept - huit = ...

2 Conjuguez le verbe « avoir » à la forme correcte.

1. Dis, tu .... un numéro de portable ?

2. Elle .... une adresse e-mail ?

3. Mlle Leroux, excusez-moi, est-ce que vous ....
une carte de visite ?

4. Il .... un numéro de téléphone professionnel ?

5. J' .... un téléphone fixe, mais je ....
de téléphone portable.

3 Classez les mots dans la/les colonne(s) correspondante(s) et soulignez la partie du mot concernée.

> Exemple :
J'ai une adresse e-mail.

1. Vous avez un numéro de téléphone ?
2. Elle a une carte de visite.
3. Vous pouvez répéter, s'il vous plaît ?
4. Tu as un numéro de portable ?

[a]	[E]	[y]	[u]	[O]
<u>a</u>dresse	adr<u>e</u>sse	....	....	....
....	....	....	....	....
....	....	....	....	....

Lire

4 Lisez ce document et répondez aux questions.

Omar
30 juin à 18 h

Salut Omar !
Tu fais quoi ce week-end ? Ciné ou resto ?
Téléphone-moi ou écris-moi.
Voici mon nouveau n° :
07-16-07-20-05.
Ciao,
Stéphane

Message

1. C'est : ☐ une lettre ☐ un SMS ☐ un e-mail.

2. C'est un message : ☐ professionnel ☐ amical.

3. Qui écrit ? ....

4. Quel est son numéro de téléphone ?

....

Écrire

5 Écoutez et écrivez. 🔊 27

....

....

....

....

....

....

6 Remplissez votre fiche de réservation d'hôtel.

Votre sélection

[icons]

Date du séjour : du 26/01 au 27/01
Nombre de personnes : 1 adulte
Prix TTC : 50,10 €

Votre sélection

Civilité * : ☐ M. ☐ Mme ☐ Mlle ☐ Dr ☐ Prof.* **Champs obligatoires**

Nom * : ....   Prénom * : ....

Téléphone * :
....

E-mail * :   Confirmation e-mail * :
....

Profession :
....

Écouter

7 Écoutez et cochez la bonne information. 🔊 28

1.	☐ 1		☐ 11
2.	☐ 01-02-19-07-04		☐ 01-12-19-07-14
3.	☐ 15-4-A-2-10-7		☐ 15-4-1-D-17
4.	☐ 13, 11, 16, 1		☐ 3, 11, 7, A
5.	☐ 7		☐ 16

8 Écoutez et complétez les mémos. 🔊 29

Situation 1

date : 13/05/2019   heure : 15h25

pour M. Durand

pendant votre absence,

☐ M. ☐ Mme ☐ Mlle ....

☐ a téléphoné.   ☐ est passé au bureau.

☎ ....

@ ....

Situation 2

1. C'est un message : ☐ professionnel ☐ amical.

2. Qui téléphone ? ....

3. Quel est son numéro de téléphone ? ....
   ....

4. Quelle est son adresse électronique ? ....
   ....

Comment dit-on dans votre langue ?

« Téléphone-moi » : ....

« Écris-moi » : ....

Ma classe de français

Faites le trombinoscope de la classe !

01 Interrogez votre voisin(e) et remplissez sa fiche. (Document 1)

02 Écrivez la présentation de votre voisin(e). (Document 2)

03 Prenez des photos et regroupez les présentations.

Il s'appelle Jean-Philippe Durand. Il habite à Paris. Il est français et il est journaliste. Il parle français bien sûr, anglais et espagnol. Son adresse électronique, c'est jpdurand@outlook.com

04 Faites un document que vous partagez dans la classe, que vous accrochez sur un panneau ou que vous publiez sur Internet.

Elle s'appelle Nathalie Jourdan. Elle habite à Paris. Elle est française et elle est infirmière. Elle parle français et un peu anglais. Son adresse électronique, c'est njourdan@gmail.fr

Il s'appelle Éric Petit. Il habite à Nantes. Il est français et il est photographe. Il parle français bien sûr et aussi espagnol. Son adresse électronique, c'est : paspetit@free.fr

Il s'appelle Antoine Bellec. Il habite à Brest. Il est français et il est architecte. Il parle bien français et allemand. Son adresse électronique, c'est antebl@wizz.com

Elle s'appelle Marine Collins. Elle habite à Rochefort. Elle est anglaise et elle est professeure. Elle parle anglais et français. Son adresse électronique, c'est marineparlefrancais@yahoo.com

Document 1

Nom :	DURAND
Prénom :	Jean-Philippe
Ville :	Paris
Nationalité :	français
Profession :	journaliste
Langues :	français, anglais, espagnol
E-mail :	jpdurand@outlook.com

Nom :	....
Prénom :	....
Ville :	....
Nationalité :	....
Profession :	....
Langues :	....
E-mail :	....

Document 2

Il s'appelle Jean-Philippe Durand. Il habite à Paris. Il est français et il est journaliste. Il parle français bien sûr, anglais et espagnol. Son adresse électronique, c'est jpdurand@outlook.com

Partie 1 — Compréhension de l'oral
10 min environ / 25 points

Pour répondre aux questions, cochez (✓) la bonne réponse, ou écrivez l'information demandée.

Exercice 1
15 points

Regardez les images. Vous allez entendre 5 messages. Associez chaque situation à une image. 30

> Exemple :
Vous entendez : « Message 1 - Je m'appelle Alexis. Je suis français et je travaille dans un hôpital. Je suis médecin. »
La bonne réponse est l'image F.

Image A	Image B	Image C

Message n°	Message n°	Message n° ....

Image D	Image E	Image F
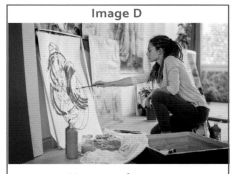		
Message n°	Message n°	Message n° 1

Exercice 2
10 points

Vous allez entendre 2 fois un document. Vous aurez 30 secondes de pause entre les 2 écoutes puis 30 secondes pour vérifier vos réponses. Lisez d'abord les questions.

Vous avez un message téléphonique. Répondez aux questions. 31

1. Qui téléphone ? .... **2 points**

2. Quel est son numéro de téléphone ? .... **4 points**

3. Quelle est son adresse e-mail ? .... **4 points**

Partie 2 — Compréhension des écrits

15 min / 25 points

Pour répondre aux questions, cochez (✓) la bonne réponse, ou écrivez l'information demandée.

Exercice 1 — 10 points

Vous travaillez à la médiathèque. Voici une fiche d'inscription. Répondez aux questions.

• FICHE D'INSCRIPTION MEDIATHÈQUE •

M. ☐   Mme ☑

NOM : PERRIN
Prénom : Eloïse
Adresse : 15, rue des Capucines
Ville : Lyon
Code postal : 69001
Téléphone : 04-20-14-01-19
e-mail : eloiseper1@orange.fr
Profession : journaliste
Langues parlées : français, anglais, espagnol

1. Comment s'appelle cette personne ? ....
2. C'est : ☐ un homme ☐ une femme.
3. Dans quelle ville habite cette personne ? ....
4. Quel est son numéro de téléphone ? ....
5. Qu'est-ce qu'elle fait dans la vie ? ....

Exercice 2 — 15 points

Vous recevez le mail suivant.

De : Marie Dumont <mariedumont@gmail.com>
Objet : nouvelle adresse

Madame, Monsieur,

Je vous remercie de votre visite en 2018.
Attention, à partir du 1er septembre, nous avons une nouvelle adresse :

Cabinet médical Dumont
Médecin généraliste
20, rue de Solférino
Tél : 03.20.15.10.19

Bien cordialement,

Marie Dumont

Remplissez votre carnet de contact.

Nom :
Prénom :
Société / Profession :
Adresse :
Tél :
E-mail :

Partie 3 — Production écrite

15 min /25 points

Exercice 1
10 points

Complétez votre fiche d'inscription à la médiathèque.

• FICHE D'INSCRIPTION MEDIATHÈQUE •

M. ☐   Mme ☐

Nom : ....

Prénom : ....

Adresse : ....

Ville :...

Code postal : ....

Téléphone : ....

E-mail : ....

Profession : ....

Langues parlées : ....

Exercice 2
15 points

Vous êtes nouveau/nouvelle dans la classe.
Vous écrivez un e-mail à votre professeur(e) pour vous présenter (20 mots).

De : ....

Objet : présentations

....,

....

....

....

....

....

Partie 4 — Production orale

5 à 7 min, préparation : 10 min / 25 points

L'épreuve se déroule en trois parties : un entretien dirigé, un échange d'informations et un dialogue simulé (ou jeu de rôle). Elle dure de 5 à 7 minutes. Vous disposez de 10 minutes de préparation pour les parties 2 et 3.

Entretien dirigé (1 minute environ)
8 points

Interrogez-vous à tour de rôle.

- Comment vous appelez-vous ? / Tu t'appelles comment ?
- Vous habitez où ? / Tu habites où ?
- Qu'est-ce que vous faites dans la vie ? / Tu fais quoi dans la vie ?
- Vous parlez quelles langues ? / Tu parles quelles langues ?

Échange d'informations (2 minutes environ)
8 points

À partir des cartes sur lesquelles figurent des mots, vous posez 4 questions à votre voisin.

> Exemple : Profession → « Qu'est-ce que tu fais dans la vie ? »

Nom ?	Profession ?	Nationalité ?
Téléphone ?	Comment ?	Travail ?
Habiter ?	Langues ?	E-mail ?

Dialogue simulé (ou jeu de rôle) (2 minutes environ)
9 points

Vous allez simuler une situation → *Vous êtes à un cocktail. Vous vous présentez.*

UNITÉ 2
Envies

Les audios, les vidéos et les images complémentaires sont disponibles sur l'**Espace digital** : interactions.cle-international.com.

S'échauffer

1 (1) Répétez après votre professeur. (2) Écoutez l'enregistrement et entourez ce que vous entendez. 👥👥 🔊 32

	[a]	[o] ou [ɔ]	[i]	[y]
[ʁ] à la fin	[aʁ]	[oʁ] / [ɔʁ]	[iʁ]	[yʁ]
[ʁ] au début	[ʁa]	[ʁo] / [ʁɔ]	[ʁi]	[ʁy]

Échanger

2 (1) Répondez au professeur. (2) Puis, interrogez-vous avec le vocabulaire. 👥👥

> Exemple :
– Quel sport est-ce que vous aimez ?
– Tu aimes quel genre de musique ?

j'adore (+++)

j'aime beaucoup (++)

j'aime bien (+)

je n'aime pas beaucoup (-)

je n'aime pas du tout (--)

je déteste (---)

j'aime ≠ je n'aime pas

j'aime mais je préfère

la musique (classique), la pop, le rock, le jazz, le rap

la littérature (française, anglaise...)

le théâtre

l'opéra

le cinéma

les films de (Besson, Spielberg, Kurosawa, ...)

les dessins animés

les séries télévisées

les jeux vidéo

Le sport

le football / le rugby / le basket / le tennis

la natation

le vélo

la formule un

le judo

3 Écoutez et imitez.  🔊 33

Quel genre de musique est-ce que vous aimez, Stéphanie ?

Oh, j'aime bien l'opéra français, surtout *Carmen*, mais j'aime aussi la pop anglaise.

Et vous aimez le jazz ?

Ah non, je déteste ça !

Alors, est-ce que tu aimes le tennis ?

Alors, euh... quel sport est-ce que tu aimes ?

Bof... je n'aime pas beaucoup ça...

J'aime beaucoup le surf. Et aussi la natation.

À vous de jouer

4 Interrogez-vous à partir des images. 🖼 8-11

> Exemple :

A : – Qu'est-ce qu'elle aime ?
B : – Elle aime la musique classique, non ?
A : – Oui, c'est ça.

1

2

3

5 Jouez les scènes.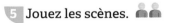

Leçon 4 • Goûts

S'échauffer

6 Écoutez, faites comme dans l'exemple puis lisez à voix haute. 🔊 34

La montée et la descente de la voix à la fin de la phrase

> Exemple :
A : – Tu aimes ça ? ↗
B : – Oui, j'aime ça ! ↘

1. Tu aimes les films ?
2. J'aime bien les films.
3. Tu aimes bien le cinéma ?
4. Oui, j'aime surtout les films français.
5. Et vous ? Qu'est-ce que vous préférez ?

Lire

7 Repérez puis répondez.

> Exemple :
A : – Il y a combien de chaînes de télévision dans la Box ?
B : – Il y a 150 chaînes de télévision.

1. Il y a combien de jeux vidéo dans la Box ?
2. Qu'est-ce qu'ils font dans la vie ?
   - Jeanne
   - Thomas
   - Nicole
   - Benoît

LA BOX

@ internet haut débit

📞 appels téléphonique illimités vers les fixe

8 Lisez puis répondez.

> Exemple :
A : – Qu'est-ce qu'elle aime, Jeanne ?
B : – Elle aime les documentaires.

1. Quel genre de documentaires est-ce qu'elle aime ?
2. Qu'est-ce que Thomas préfère ?
3. Quels sports est-ce que Nicole et Benoît aiment ?
4. Qu'est-ce que les enfants aiment ?

9 Ensemble, retrouvez dans le document.

> Exemple :
un genre de film → *les films américains*

1. deux types de documentaire
2. un type de jeu
3. deux exemples de sport

Écrire

10 (1) Lisez, (2) recopiez puis (3) comparez avec votre voisin.

Les Français préfèrent les documentaires. Les personnes de 35 ans et plus apprécient beaucoup les documentaires mais les jeunes préfèrent les films et les séries télévisées

BOX

INTERNET TV TÉLÉPHONIE

TV
de 150 chaînes
direct à la carte

40 jeux
vidéo

films et séries télévisées
à la demande

Jeanne Lefèvre ★ ★ ★ ★ ★
Retraitée

Mon type de programme télé préféré,
ce sont les documentaires, par exemple
les documentaires sur les animaux
ou sur la nature. Et les enfants aussi,
ils aiment bien ça.

Thomas Lefèvre ★ ★ ★ ★ ★
Lycéen

J'adore les films américains et les
séries télé. Mais je préfère les jeux
vidéo !

Nicole et Benoît Lefèvre ★ ★ ★ ★ ★
Musicienne, Ingénieur

Ma femme et moi, nous aimons
beaucoup le sport, comme le
football et le tennis.

Dictée

11 (1) Écoutez et (2) écrivez. 🔊 35

Sondage : les activités culturelles des Français

....

....

Rédiger

12 (1) Interrogez votre voisin pour compléter sa fiche,
puis (2) présentez-le à un autre groupe. (3) Écoutez
les présentations des autres étudiants et prenez
des notes. 👥

Nom : ....   Profession : ....

Prénom : ....   Ville : ....

Âge : ....

♥ : ....

♥♥♥ : ....

💔 : ....

Leçon 4 • Goûts

Les connecteurs

> Observez :
- Thomas Lefèvre aime les films américains et les séries télévisées.
- Nicole Lefèvre aime le sport : elle aime le badminton, mais elle préfère le tennis.
- J'aime le cinéma français. J'aime aussi le cinéma japonais.

13 Complétez avec « et », « mais » et « aussi », puis vérifiez. 👥

1. J'aime bien les films, ... je préfère les documentaires.
2. Je déteste les séries télévisées françaises ...... américaines.
3. J'aime le cinéma, et les enfants ....
4. Moi, j'aime le sport, comme le football ...... le tennis.

La conjugaison des verbes en « ~er »

> Observez :
- Jeanne aime les documentaires. Nicole et Benoît aiment bien ça aussi.
- Ma femme et moi, nous n'aimons pas les programmes de sport ; nous préférons les programmes musicaux.
- J'aime les dessins animés. Et toi, tu aimes ça ?
- Pardon, madame, quel genre de films est-ce que vous aimez ?

14 Complétez puis vérifiez. 👥

a. Verbes en « ~er »
1. J'ador....... les documentaires.
2. Ils aim....... bien ça !
3. J'aim....... beaucoup les films américains.
4. Je préfèr....... les jeux vidéo.
5. Nous aim....... le sport.

b. Verbe *aimer*
1. J'aim.......
2. Tu aim ....
3. Il aim.......
4. Nous aim.......
5. Vous aim.......
6. Ils aim.......

c. Verbe *adorer*
1. J'ad.......
2. Tu ador.......
3. Elle ador.......
4. Nous ador.......
5. Vous ador.......
6. Ils ador.......

L'article défini (*le*, *la*, *les*)

> Observez :
- J'aime le cinéma français, surtout les films de Luc Besson.
- Elle aime la littérature haïtienne, surtout les romans de René Depestre.
- Il n'aime pas les jeux vidéo ; il préfère l'opéra.

15 Repérez les articles utilisés dans les textes, complétez, puis vérifiez. 👥

1. **Jeanne Lefèvre** : elle aime beaucoup ...... documentaires, par exemple ...... documentaires sur ...... animaux ou sur ...... nature. Et ...... enfants aussi, ils aiment bien ça.

2. **Thomas Lefèvre** : il adore ...... films américains et ...... séries télé. Mais il préfère ...... jeux vidéo.

3. **Benoît Lefèvre** : avec sa femme, ils aiment ...... sport, comme ...... football et ...... tennis.

• Connecteurs

J'aime A + B	...et...	Ex. : J'aime le théâtre et l'opéra.
J'aime bien A / Je préfère B	..., mais...	Ex. : J'aime bien le théâtre, mais je préfère l'opéra.
J'aime A. J'aime B.	...aussi	Ex. : J'aime le théâtre. J'aime aussi l'opéra.

• Conjugaison des verbes en « ~er »

Personne	Conjugaison	Exemple
je	~e [.]	je m'appelle..., j'aime...
tu	~es [.]	tu aimes... , tu détestes...
il / elle	~e [.]	il adore..., elle préfère...
nous	~ons [$\tilde{o}$]	nous habitons..., nous n'aimons pas...
vous	~ez [e]	vous habitez..., vous n'aimez pas...
ils / elles	~ent [.]	ils aiment..., elles préfèrent

✋ **Attention :**
Il préfère [ilpʀefɛʀ] / Ils préfèrent [ilpʀefɛʀ]
→ la prononciation ne change pas.
Il aime [ilɛm] / Ils aiment [ilzɛm]
→ la prononciation est différente.

• Article défini

Après un verbe de sentiment (*j'aime, j'adore, je préfère, je déteste*, etc.) on utilise toujours un article défini (*le, la, les*).

Masculin : **le**	Ex. : J'aime le cinéma français.
Féminin : **la**	Ex. : Tu aimes la musique classique ?
Pluriel : **les**	Ex. : Il adore les dessins animés.
l' + a, e, i, o, u, h	Ex. : Vous aimez l'opéra ?

S'échauffer

16 Écoutez, soulignez les sons [ʁ], puis écrivez le mot dans le tableau. 👥

je préfère – Aurélie – surtout – Marseille – Marion – merci – alors – par – sur – j'adore – Cotillard – rose

Le son [ʁ] est au début du mot	Le son [ʁ] est au milieu du mot	Le son [ʁ] est à la fin du mot	Il y a plusieurs sons [ʁ] dans le mot
			Je préfère

Repérer

17 Écoutez et répondez. 👥 🔊 36

Qu'est-ce qu'il y a à la télé ?

> Exemple :
A : – Aurélie, elle aime quoi ?
B : – Elle aime les dessins animés, par exemple *Tintin*.
A : – *Tintin*, c'est sur quelle chaîne ?
B : – C'est sur W9.

M. Martin	*La Môme*	le football	W9
Mme Martin	*Tintin*	le cinéma français	TV5
Aurélie	*Questions pour un champion*	les dessins animés	TF1
Alexandre	Lyon-Marseille	les jeux télévisés	Canal+

18 Qui le dit ? Qu'est-ce que ça veut dire ? 👥 🔊 36

> Exemple :
Qui dit « Génial ! Il y a *Tintin* sur W9 » ? Qu'est-ce que ça veut dire ?
→ C'est Aurélie. Elle est contente.

1. « Au-ré-lie... ! »
2. « Quoi ? Ah non ! Pas le football ! »
3. « Ouais... Bof... »
4. « *La Môme* ? C'est génial ! »

À vous de jouer

19 Rejouez les scènes. 👥 🔊 36 a-c

Exprimer une surprise, un sentiment positif ou négatif

1 A : – Papa, qu'est-ce qu'il y a sur TV5 ?
B : – Euh... attends... Oh ! Il y a *Questions pour un Champion* !
C : – Moi, je déteste les jeux télévisés...

2 A : – Ah ! Il y a Lyon-Marseille ! C'est pas mal, non ?
B : – Quoi ? Ah non ! Pas le football !
C : – Ouais... Bof...

3 A : – Qu'est-ce qu'il y a sur Canal+ ?
B : – Tiens ! Il y a *La Môme* !
C : – *La Môme* ? C'est génial !

20 En situation. 👥

Ce soir à la télé...

TF1 Programme TF1	**20h55-22h45** Dr House Série américaine
france 2 Programme France 2	**20h45-22h35** Les Bronzés Film français
france 3 Programme France 3	**20h35-22h55** Thalassa Documentaire
CANAL+ Programme Canal+	**20h30 - 22h35** Marseille-Monaco Football
M6 Programme M6	**20h50-22h20** Madagascar 3 Dessin animé

Leçon 4 • Goûts

1 Écrivez les phrases avec le verbe qui convient. Attention à la conjugaison.

😄😄😄 adorer – 😄 aimer – 😕 ne pas aimer – 😖😖😖 détester – ♥ < ❤ préférer

> Exemple :

(Julien) 😄 ♪ pop, 😕 classique.

→ Julien aime la musique pop, mais il n'aime pas la musique classique.

1. (Mon amie Marie) 😄 ⚽, ♥ < ❤ 🏊

→ ....

2. (Tu) 😕 🎮 ?

→ ....

3. (Vous) ♥ < ❤ 🎬 français ou 🎬 américain ?

→ ....

4. (Mes amis) 😖😖😖 ▮

mais moi (je) 😄😄😄 ▮

→ ....

2 Répondez aux questions et donnez des précisions.

Exemple :
– Est-ce que vous aimez le cinéma ?
– Oui, j'aime bien ça, surtout le cinéma français, mais j'aime aussi le cinéma japonais.
– Non, je n'aime pas ça ; je préfère le théâtre.

1. Est-ce que vous aimez le cinéma ?
   → ....

2. Est-ce que tu aimes le sport ?
   → ....

3. Est-ce que vous aimez la littérature ?
   → ....

4. Est-ce que tu aimes la musique classique ?
   → ....

3 Barrez les lettres non prononcées.

Exemple :
Tu aimes la musique ?

1. Tu préfères la musique classique ?
2. Elle aime le théâtre et la littérature.
3. J'adore la formule un, mais je déteste le tennis.
4. Tu habites où ?
5. Il fait quoi dans la vie ?

4 Lisez ce document et répondez aux questions.

Programme télé - Samedi 25 mai - **Votre soirée**

TF1 — 20:50 Les experts à Miami Série américaine	**france 2** — 20:45 Coupe de France : Paris-Monaco Football
france 3 — 20:45 Questions pour un champion : la finale Jeu	**CANAL+** — 20:55 Avengers Film
france 5 — 20:35 Echappées belles : la Guyane Magazine	**M6** — 20:50 Coco Dessin animé

Vos réactions   [Poster un commentaire]

Michaël • il y a 10 minutes 30 secondes

J'adore le cinéma américain. *Avengers*, c'est un bon film, mais je n'ai pas Canal+ à la maison... J'aime aussi le sport, mais pas à la télévision... Sur M6, il y a *Coco*. Je vais regarder ça.

→ répondre

Carla • il y a 6 minutes 18 secondes

Personnellement, je préfère les programmes plus sérieux, comme les documentaires (je voyage beaucoup – je suis actrice – et j'aime bien l'Amérique du Sud).

▼ 1 réponse

Gérard • il y a 4 minutes 50 secondes

Madame "voyage beaucoup"... Quelle chance ! Eh bien, moi, ce soir, je suis à Miami devant ma télévision. 😄

→ répondre

1. C'est : ☐ un forum sur Internet   ☐ une enquête ☐ un article de magazine.

2. Michaël aime les films. C'est : ☐ vrai ☐ faux.

3. Quel programme de télévision est-ce qu'il préfère ?
   ....

4. Quel est le programme préféré de Carla ?
   ....

5. C'est sur : ☐ TF1   ☐ France 2   ☐ France 3 ☐ Canal+   ☐ France 5   ☐ M6.

6. Quel programme est-ce que Gérard préfère ?
   ....

Écrire

5 Écoutez et écrivez. 🔊 37

....

....

....

....

....

....

....

....

....

....

6 Regardez le programme télé du samedi 25 mai (exercice 4) et écrivez un commentaire.

⊝ ○ ○

.... il y a 3 minutes 2 secondes

....

....

....

....

....

....

....

....

Avis intéressant ?

Oui ☐   Non ☐

▶ Répondre - J'aime - Modifier

Écouter

7 Écoutez et répétez puis dites combien il y a de [ʁ]. 🔊 38

Exemple :
Bonjour Éric. Ça va ? → 2 [ʁ].

1. ....

2. ....

3. ....

4. ....

5. ....

8 Écoutez et répondez aux questions. 🔊 39

1. La femme fait une enquête sur :
   ☐ les sports   ☐ les programmes télévisés
   ☐ les magazines préférés des Français.

2. La première personne regarde beaucoup la télévision.
   C'est : ☐ vrai   ☐ faux.

3. Qu'est-ce qu'elle préfère ?

   ....

4. Qu'est-ce que la deuxième personne aime ?

   ....

5. Qu'est-ce que sa femme n'aime pas ?

   ....

6. Quel type de programme est-ce que le jeune homme préfère ?

   ....

Comment dit-on dans votre langue ?

« Eh bien, euh... » : ....

« Ça va pas ? » : ....

Leçon 5 • Loisirs

S'échauffer

1 (1) Répétez après votre professeur. (2) Écoutez l'enregistrement et entourez ce que vous entendez. 👥👥 🔊 40

	[y]	[u]
1.	Il est sûr	Il est sourd
2.	Elle est pure	Elle est pour
3.	Un début	Un des bouts
4.	C'est vu	C'est vous
5.	Saturne	Ça tourne

Échanger

2 (1) Répondez au professeur. (2) Puis, interrogez-vous avec le vocabulaire. 👥👥

> Exemple :
– Qu'est-ce que vous préférez faire le week-end, rester à la maison ou sortir ? /
  Tu préfères faire quoi le week-end, sortir ou rester à la maison ?
– Qu'est-ce que vous voudriez faire ce week-end ? / Tu voudrais faire quoi ce week-end ?

Loisirs

sortir ≠ rester
à la maison

voir des amis

faire les magasins /
faire du shopping

aller en boîte de nuit
/ en discothèque

faire du sport
(du jogging / de la natation)

surfer sur Internet

regarder la télévision

jouer à des jeux vidéo

écouter de la musique

lire

étudier

ne rien faire

faire du jardinage

aller au cinéma / au restaurant / au café

Et aussi :
le week-end = le samedi + le dimanche
le soir (*en général*) / **ce** soir (*aujourd'hui,
de 18 h 00 à 00 h 00*)

3 Écoutez et imitez.

Qu'est-ce que vous aimez faire le week-end ? Sortir ou rester à la maison ?

Euh... en général, je préfère sortir avec des amis.

D'accord. Et qu'est-ce que vous aimez faire en particulier ?

Eh bien, j'aime aller au cinéma ou au restaurant.

Qu'est-ce que tu voudrais faire ce soir, Lucas ?

Pourquoi ?

Eh bien, j'aimerais bien aller au cinéma... Pas toi ?

Ouais, bof... je préfère rester à la maison. J'ai un examen bientôt...

Oh là là... Tu es vraiment sérieux !

À vous de jouer

4 Interrogez-vous à partir des images. 12-15

> Exemple :
A : – Qu'est-ce qu'elle préfère faire, sortir ou rester à la maison ?
B : – Elle aime bien rester à la maison, mais elle préfère sortir.
A : – Et toi, tu préfères faire quoi ?
B : – Moi, eh bien, je...

1

2

5 Jouez les scènes.

Leçon 5 • Loisirs

S'échauffer

6 Écoutez, faites comme dans l'exemple, puis lisez à voix haute. 42

La montée de la voix
quand la phrase n'est pas finie
> Exemple :
J'adore sortir↗, faire les magasins↗ et aller au cinéma↘.

1. Elle aime rester à la maison et lire.
2. Elle aime rester à la maison, lire et écouter de la musique.
3. Elle aime rester à la maison, lire, écouter de la musique et regarder la télévision.
4. Tu préfères aller au cinéma ou regarder la télévision ?
5. J'aime bien regarder la télévision, mais je préfère aller au cinéma.

Lire

7 Repérez puis répondez.

> Exemple :
C'est : ☐ une publicité.
☑ une enquête.
☐ un article.

1. C'est une enquête sur quoi ?
2. Quelles activités sont présentées par l'enquête ?
3. L'enquête interroge qui ?

8 Lisez puis répondez.

1. Qu'est-ce que beaucoup de Français préfèrent faire ?
2. Qui préfère aller au cinéma, les jeunes ou les personnes âgées ?
3. Quelles activités est-ce que les jeunes préfèrent ?
4. Et les personnes âgées, qu'est-ce qu'elles préfèrent faire ?
5. Qu'est-ce que peu de seniors aiment faire ?

Règle n° 11

• **Beaucoup de ≠ peu (de)**

Beaucoup de Français aiment lire.
≠ **Peu de personnes** âgées aiment surfer sur Internet.

LES ACTIVITÉS PRÉFÉRÉES DES FRANÇAIS QUAND ILS ONT DU TEMPS LIBRE

 ÉCOUTER DE LA MUSIQUE

Tous les Français	Jeunes	Seniors
70%	59%	69%

 REGARDER UN FILM À LA MAISON

Tous les Français	Jeunes	Seniors
61%	43%	73%

9 Lisez le texte et complétez le document.

Selon un sondage Ipsos sur les trois activités préférées en France, les Français préfèrent écouter de la musique (88 % pour les femmes, 85 % pour les hommes) quand ils ont du temps libre. Ils aiment aussi regarder la télévision (87 % pour les femmes, 82 % pour les hommes) et sortir avec des amis (83 % pour les femmes, 81 % pour les hommes).

Titre :

....

....

1.	...... %	...... %
2.	...... %	...... %
3.	...... %	...... %

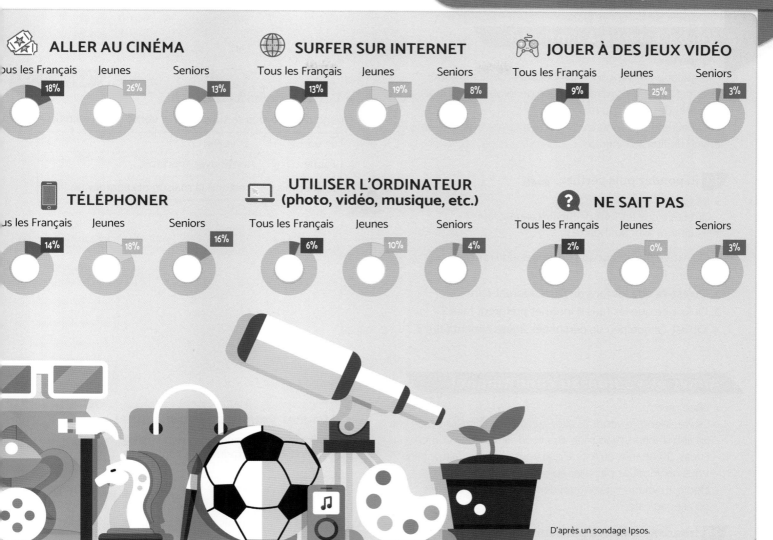

ALLER AU CINÉMA

Tous les Français	Jeunes	Seniors
18%	26%	13%

SURFER SUR INTERNET

Tous les Français	Jeunes	Seniors
13%	19%	8%

JOUER À DES JEUX VIDÉO

Tous les Français	Jeunes	Seniors
9%	25%	3%

TÉLÉPHONER

Tous les Français	Jeunes	Seniors
14%	18%	16%

UTILISER L'ORDINATEUR (photo, vidéo, musique, etc.)

Tous les Français	Jeunes	Seniors
6%	10%	4%

NE SAIT PAS

Tous les Français	Jeunes	Seniors
2%	0%	3%

D'après un sondage Ipsos.

Écrire

10 (1) Lisez, (2) recopiez, puis (3) comparez avec votre voisin.

> Selon une enquête, les Français préfèrent
> écouter de la musique. Regarder un film à
> la télévision est aussi un loisir très apprécié.

Dictée

11 (1) Écoutez et (2) écrivez. 🔊 43

Rédiger

12 1) Interrogez votre voisin pour compléter le tableau, puis (2) présentez-le à un autre groupe. (3) Écoutez les présentations des autres étudiants et prenez des notes.

	LOISIRS	
	Le soir	Le week-end
Personne 1 :	1. .... 2. .... 3.	1. .... 2. .... 3. ....
Personne 2 :	1. .... 2. .... 3.	1. .... 2. .... 3. ....
Personne 3 :	1. .... 2. .... 3.	1. .... 2. .... 3. ....

Leçon 5 • Loisirs

Verbe + verbe à l'infinitif

> Observez :

– Beaucoup de Français aiment écouter de la musique.
Ils aiment aller au cinéma, mais en général, ils préfèrent regarder des films à la maison.
Ce week-end, je voudrais aller au restaurant avec des amis et voir un film au cinéma.

13 Répondez puis vérifiez.

> Exemple :

– Qu'est-ce que les fans de théâtre aiment faire ?
→ Ils aiment aller au théâtre.

1. Qu'est-ce que beaucoup de jeunes en France aiment faire ?
2. Qu'est-ce que les fans de films adorent faire ?
3. Qu'est-ce que les fans d'Internet préfèrent faire ?
4. Qu'est-ce que peu de personnes âgées aiment faire ?

Règle n° 12

• Verbe + verbe à l'infinitif

Quand deux verbes se suivent, le 2e verbe est à l'infinitif.

1er verbe	2e verbe
J'aime	sortir avec des amis.
Je voudrais	rester à la maison et regarder un film.

Aimer et vouloir au conditionnel

> Observez :

– Ce week-end, je voudrais aller au cinéma. J'aimerais bien voir un film d'action, mais mon ami voudrait voir une comédie.
– Lucas, Stéphanie, qu'est-ce que vous aimeriez faire ce soir ? Vous ne voudriez pas aller au restaurant ?
– Élodie, tu voudrais faire quoi demain ? Voir un concert ou aller au café ?

14 Interrogez-vous à plusieurs.

1. Qu'est-ce que vous aimez faire le samedi soir ?
2. Et ce samedi soir en particulier, qu'est-ce que vous voudriez faire ?
3. En général, qu'est-ce que vous aimez faire le dimanche ?
4. Et ce dimanche, qu'est-ce que vous voudriez faire ?

Règle n° 13

• Aimer et vouloir au conditionnel

On utilise le conditionnel des verbes « aimer » ou « vouloir » pour exprimer un souhait.

Aimer	Verbes en -er		Vouloir	Autres verbes
J'aimerais	-erais		Je voudrais	-rais
Tu aimerais	-erais		Tu voudrais	-rais
Il / Elle aimerait	-erait		Il / Elle voudrait	-rait
Vous aimeriez	-eriez		Vous voudriez	-riez

L'article défini le ou l'adjectif démonstratif ce

15 Complétez avec « le » ou « ce » puis vérifiez.

> Exemple :

– En général, qu'est-ce que vous aimez faire le week-end, sortir ou rester à la maison ?
Et ce week-end, qu'est-ce que vous aimeriez faire ?

1. En général, ... soir, j'aime lire un livre.
2. Tu aimerais sortir ...... week-end ?
3. J'aimerais regarder un film ...... soir.
4. Vous préférez faire quoi ...... week-end, généralement ?
5. En général, ... week-end, elle aime sortir, mais ...... week-end, elle aimerait rester à la maison. Elle est un peu fatiguée.

Règle n° 14

• Article défini le ou adjectif démonstratif ce

• Pour parler d'une habitude ou d'une généralité : on utilise l'article défini.
> Exemple : En général, ils aiment regarder la télé le soir, mais le week-end, ils préfèrent aller au cinéma.

• Quand c'est spécifique ou particulier : on utilise l'adjectif démonstratif.
> Exemple : Ce soir, je voudrais regarder un film. Ce week-end, j'aimerais aller à un concert.

S'échauffer

16 Prononcez les mots, soulignez les lettres qui se
prononcent [i], [y] et [u], puis écrivez les mots dans
la colonne correspondante.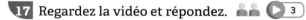

excusez-moi – lire – livre – week-end – allez-y – vous –
beaucoup – du – ou – pour – minute – une – oui – nuit

Mots avec le son [i]	Mots avec le son [y]	Mots avec le son [u]
	exc<u>u</u>sez-moi	

Repérer

17 Regardez la vidéo et répondez.   3

Vous avez une minute ?

> Exemple :

A : – Est-ce qu'il aime lire des livres ?
B : – Oui, il aime bien ça, surtout le soir.

	– Il n'aime pas trop	+ Il aime bien	++ Il aime beaucoup
Lire des livres		✓	
Regarder la télévision			
Jouer à des jeux vidéo			
Aller au cinéma			
Aller au restaurant			
Faire du sport			
Danser			
Aller en boîte de nuit			

18 Qui le dit ? Qu'est-ce que ça veut dire ? 3

> Exemple :

– Qui dit « Excusez-moi, monsieur... vous avez une minute ? »
   Qu'est-ce que ça veut dire ?
→ C'est l'enquêtrice. Elle veut poser
   des questions au premier homme.

1. « Non, désolé, je n'ai pas le temps. »
2. « Euh... oui... allez-y ! »
3. « Juste un peu. »
4. « Eh bien, euh... »

À vous de jouer

19 Rejouez les scènes.   3 a-b

S'excuser / Donner ou refuser une autorisation

❶ A : – Excusez-moi, monsieur... vous avez une minute ?
   B : – Désolé, je n'ai pas le temps.

❷ A : – Pardon, madame...
   B : – Oui, c'est pour quoi ?
   A : – C'est pour une enquête...
   B : – Pour une enquête ? Non, je suis désolée, mademoiselle...

20 En situation.

**Faites l'enquête suivante dans la classe.
Respectez les étapes (salutations, demande
polie, etc.). Comparez vos résultats.**

Questionnaire d'enquête			
	Activités du soir	Activités du week-end	Pratiques sportives
Personne 1 :			
Personne 2 :			
Personne 3 :			

Leçon 5 • Loisirs

Aidez-vous des tableaux de conjugaison en pages annexes.

Communiquer

1 Écrivez le verbe qui convient.
Attention à la conjugaison.

écouter – rester – aimer – surfer – regarder – jouer – étudier – téléphoner – parler

1. Nous .... un film ce soir.
2. Ils .... le français.
3. Est-ce que vous .... à la maison samedi soir ?
4. Je .... un peu français.
5. Tu .... beaucoup sur Internet ?
6. Ce garçon .... souvent à des jeux vidéo.
7. Chut ! J'............................ de la musique.
8. Elle .... aller au cinéma ?
9. À qui est-ce que vous .... ?

2 Complétez avec le verbe *aimer* (*j'aime, tu aimes...*) ou le verbe *vouloir* (*je voudrais, tu voudrais...*).

> Exemple :
Ce soir, je voudrais regarder la télé. Il y a un film intéressant.

1. En général, le samedi soir, nous .... aller au restaurant.
2. Qu'est-ce que tu .... faire samedi soir ?
3. Elle .... ne rien faire le dimanche matin.
4. Qu'est-ce que vous .... faire en général l'après-midi ?
5. Est-ce que vous .... faire les magasins cet après-midi ?

3 Classez les verbes selon la prononciation de leur infinitif et soulignez la partie du mot correspondante.

habiter – sortir – regarder – voir – aller – jouer – faire – rester – lire – écouter – étudier

[E]	[waʁ]	[iʁ]	[Eʁ]
habit<u>er</u>	....	....	....
....	....	....	....
....	....	....	....

Lire

4 Lisez ce document et répondez aux questions.

Envoyer	Discussion	Joindre	Adresses	Polices	Couleurs	Enr. brouillon

À : [   ]

Objet : sortie samedi soir

De : virginie.dupres@yahoo.fr

Salut,

Tu vas bien ? Tu progresses en français ?

Samedi soir, Mélissa, Rayan et moi, on aimerait sortir.

Mélissa voudrait aller au cinéma et au café, 😴 mais

Rayan et moi, on préfère aller au fast-food et en boîte.

Tu ne voudrais pas aller en boîte avec nous ?

Qu'est-ce que tu préfères faire ? Dis-nous...

Écris-moi ou téléphone-moi au 06 79 79 23 23.

On attend ta réponse.

Ciao,

Nini

1. C'est un message : ☐ publicitaire ☐ professionnel ☐ amical.
2. Quel est le vrai prénom de Nini ?............................
3. Nini est dans quel pays ?
   ☐ En France ☐ Dans mon pays ☐ Je ne sais pas.
4. Quel est le programme de la soirée de Mélissa ?
   ....
5. Qu'est-ce que les autres voudraient faire ?
   ....
6. Reliez la couleur du passage et sa fonction.

   ☐ ○ ○ la conclusion + les salutations

   ☐ ○ ○ la signature

   ☐ ○ ○ l'introduction (l'explication d'une situation)

   ☐ ○ ○ les salutations

   ☐ ○ ○ une proposition / une invitation

Comment dit-on dans votre langue ?

« Dis-nous » : ....

« On attend ta réponse » : ....

....

Écrire

5 Écoutez et écrivez. 🔊 44

....

....

....

....

....

....

6 Écrivez un e-mail à un(e) ami(e) français(e) et proposez-lui des activités de week-end.
Faites cinq parties :

```
● ○ ○
Envoyer  Discussion  Joindre  Adresses  Polices  Couleurs  Enr. brouillon
         À : ...........................................................
     Objet : ...........................................................
≡▼     De : [                              ▼]
```

....

....

....

....

....

....

....

....

....

Écouter

7 Écoutez et écrivez. 🔊 45

	[i]	[y]	[u]
1. [ʁ_]	☐ riz	☐ rue	☐ roue
2. [d_]	☐ dis	☐ du	☐ doux
3. [p_l]	☐ pile	☐ pull	☐ poule
4. [b_ʃ]	☐ biche	☐ bûche	☐ bouche
5. [s_ʁ]	☐ cire	☐ sûr	☐ sourd

8 Écoutez et répondez aux questions. 🔊 46

1. Les journalistes présentent : ☐ les nouveaux films ☐ les informations ☐ les concerts.
2. Ils parlent : ☐ d'une enquête ☐ de sport ☐ de musique.
3. Complétez le tableau :

Classement des activités préférées des Français
1. ....
2. Faire des promenades
3. ....
4. ....
5. ....

4. Qu'est-ce que le journaliste préfère faire ? ....

....

Comment dit-on dans votre langue ?

« Est-ce que c'est vrai, Claire ? » : ....

« ...., n'est ce pas, Claire ? » : ....

....

Leçon 6 • Souhaits

1 (1) Répétez après votre professeur. (2) Écoutez l'enregistrement et entourez ce que vous entendez. 👥👥 🔊 47

Le son	[p]	[t]	[ʃ]	[m]
[a]	pa	ta	cha	ma
[ɑ̃]	pan	tan	chan	man
[ɛ]	pè	tè	chè	mè
[ɛ̃] ou [jɛ̃]	pin	tin	chien	mien

Échanger

2 (1) Répondez au professeur. (2) Puis, interrogez-vous avec le vocabulaire. 👥

> Exemple :
– Vous avez une voiture ? / Tu as une voiture ?

une voiture

un vélo

une moto

une maison

un appartement

un ordinateur portable / un Mac / un PC

un chat

un chien

un poisson rouge

un animal domestique

une console de jeux vidéo

une télévision

une tablette numérique

Et aussi :

cher / chère

petit / petite ≠ grand / grande

sale ≠ propre

pratique

génial / géniale

ennuyeux / ennuyeuse ≠ amusant / amusante

vieux / vieille (≠ neuf / neuve)

bruyant / bruyante (≠ calme)

3 Écoutez et imitez.

> Est-ce que vous avez une voiture, Monsieur Legrand ?

> Non, je n'ai pas de voiture...

> Vous n'avez pas de voiture ?

> Non. J'aimerais bien, mais ce n'est pas pratique... Par contre, j'ai une moto.

> Qu'est-ce que tu voudrais pour Noël ?

> Euh... je ne sais pas. Euh... je voudrais un ordinateur.

> Tu n'as pas d'ordinateur ?

> Si, j'ai un PC mais il est trop vieux.

À vous de jouer

4 Interrogez-vous à partir des images. 16-19

> Exemple :

A : – Qu'est-ce qu'elle voudrait ?
B : – Elle voudrait un ordinateur portable.
     Son ordinateur est trop vieux.

1

2

5 Jouez les scènes.

6 Écoutez, faites comme dans l'exemple, puis lisez à voix haute. 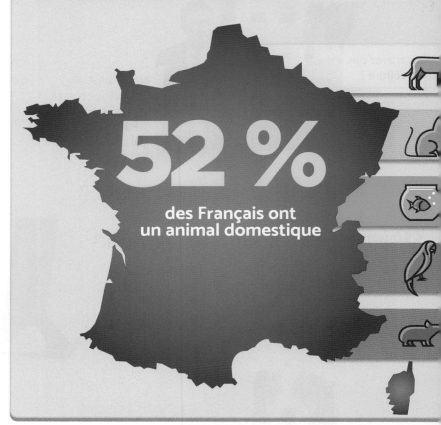 49

La synthèse rythmique

> Exemple :

Cinq/ pour/ **cent**/ des/ Fran/**çais**/ on/t un/ pe/ti/t a/ni/**mal**.

1. Cinquante-deux.
2. Cinquante-deux pour cent.
3. Cinquante-deux pour cent des Français.
4. Cinquante-deux pour cent des Français ont un animal domestique.

7 Repérez puis répondez.

Ce document parle :

☐ des chiens sales
☐ des poissons rouges
☐ des animaux domestiques
☐ des vieux ordinateurs
☐ des motos bruyantes
☐ des médecins

8 Lisez puis répondez.

> Exemple :

A : – Combien de pour cent de Français ont un animal domestique ?
B : – 52 % des Français ont un animal domestique.

1. Quels animaux domestiques les Français ont en général ?
2. Quel est l'animal préféré des Français ?
3. Pourquoi chaque année ces animaux sont abandonnés ?

9 Ensemble, retrouvez dans le document.

> Exemple :

le titre → *Les Français et les animaux domestiques*

1. des chiffres
2. une question
3. une invitation
4. des noms propres
5. un site Internet

LES FRANÇAIS ET LES ANIMAUX DOMESTIQUES

52 %

des Français ont un animal domestique

10 (1) Lisez, (2) recopiez, puis (3) comparez avec votre voisin.

> Beaucoup de Français ont un animal domestique. Ils ont surtout un chien, un chat ou des poissons.

Règle n° 15

Avoir et être au pluriel

Avoir : Ils_ont un animal domestique. [ilzɔ̃]
Être : Ils sont abandonnés. [ilsɔ̃]

En France, 52 % des gens ont un animal domestique. 28 % des gens ont un chien (ou deux), 26 % ont un chat, 11% un poisson rouge, 6 % un oiseau et 5 % un petit animal. Et vous, vous désirez un nouvel ami ?

Chien	**28 %**
Chat	**26 %**
Poisson rouge	**11 %**
Oiseau	**6 %**
Petit animal	**5 %**

Chaque année, 60 000* chiens et chats sont abandonnés parce qu'ils sont sales ou bruyants...

**Médor et Félix attendent une famille dans nos refuges.
Venez vite et adoptez un animal de compagnie !**

**Retrouvez-nous sur Internet :
www.60000amis.fr**

**FONDATION
60000
amis**

* soixante mille

Dictée

11 (1) Écoutez et (2) écrivez. 👥 🔊 50

Adoptez-moi !

Rédiger

12 (1) Interrogez votre voisin pour compléter sa fiche, puis (2) présentez-le à un autre groupe. (3) Écoutez les étudiants et prenez des notes. 👥

Personne	aimerait...	parce que...
Nadia	*un chat*	*c'est petit et propre.*
1.		
2.		
3.		

Leçon 6 • Souhaits

La réponse avec *si*

> Observez :

A : – Vous n'avez pas d'ordinateur ?
B : – Si, j'ai un ordinateur portable.

A : – Tu n'as pas de chat ?
B : – Non, je n'ai pas de chat.

13 Interrogez-vous à tour de rôle.

> Exemple :

A : – Vous n'avez pas d'appartement ?
B : – Si, j'ai un appartement à Paris.

1. Vous n'avez pas de voiture ?
2. Vous n'avez pas d'animal domestique ?
3. Vous n'avez pas d'ordinateur portable ?
4. Vous n'avez pas de smartphone ?

Exprimer la possession

> Observez :

– J'ai **un** appartement à Paris et **une** maison en Normandie.
– Beaucoup de Français ont **des** animaux domestiques.
– Ma famille et moi, nous n'avons pas **de** voiture, mais nous avons **des** vélos.

14 Complétez puis vérifiez.

1. En France, 52 % des gens ont ...... animal domestique.
2. Les animaux abandonnés n'ont pas ...... ami.
3. Médor et Félix voudraient avoir ...... famille.
4. Beaucoup de Français ont ...... chiens et ...... chats, mais peu de personnes ont ...... poisson rouge ou ...... oiseau.

Interroger sur la cause

> Observez :

A : – Pourquoi vous n'avez pas de voiture ?
B : – Parce que c'est trop cher.

A : – Pourquoi tu voudrais un nouveau téléphone pour Noël ?
B : – Parce que mon téléphone est un peu vieux.

Règle n° 16

• **Réponse avec *si***

Question affirmative	A : – Tu as un animal ?	A : – Vous avez une voiture ?
→ **Réponse** affirmative	B : – Oui, j'ai un chien. Il s'appelle Médor.	B : – Oui, j'ai une Peugeot 308.
→ **Réponse** négative	B : – Non, je n'ai pas d'animal. Je n'aime pas ça.	B : – Non, mais j'ai une moto.

Question négative	A : – Tu n'as pas d'animal ?	A : – Vous n'avez pas de voiture ?
→ **Réponse** affirmative	B : – **Si**, j'ai un chien !	B : – **Si**, j'ai une Peugeot 308 !
→ **Réponse** négative	B : – Non, je n'ai pas d'animal. Je n'aime pas ça.	B : – Non, mais j'ai une moto.

Règle n° 17

• **Exprimer la possession**

[avoir] + [un] + [nom masculin]	Ex. : J'ai un vélo.
[avoir] + [une] + [nom féminin]	Ex. : Tu as une voiture ?
[avoir] + [des] + [nom pluriel]	Ex. : Vous avez des amis en France ?
[ne] + [avoir] + [pas de] + [nom]	Ex. : Je n'ai pas de télévision.
[ne] + [avoir] + [pas d'] + [nom avec : a, e, i, o, u, h]	Ex. : Je n'ai pas d'ordinateur.

Règle n° 18

• **Pour interroger sur la cause**

Question	**Pourquoi**	Ex. : Pourquoi tu étudies le français ?
Réponse	**Parce que**	Ex. : J'étudie le français parce que j'aime la cuisine française !

15 Écrivez les questions et les réponses en utilisant « pourquoi » et « parce que ».

> Exemple :

A : – Pourquoi Antoine a une moto ?
B : – Parce que c'est pratique.

1. Monsieur Durand n'a pas de chien.
2. Stéphane n'a pas de tablette numérique.
3. Laure n'aime pas les jeux vidéo.
4. Les Dupont n'aiment pas le centre-ville.

a. C'est bruyant.
b. C'est sale.
c. C'est cher.
d. C'est ennuyeux.

S'échauffer

16 Prononcez, soulignez les sons [a], [ã], [ɛ] et [ɛ̃] puis écrivez les mots dans les colonnes correspondantes.

Noël – voudrait – chien – bien – bruyant – chat – aime – ennuyeux – belle – ~~bientôt~~ – allergique – amusant – appartement

Mots avec le son [a]	Mots avec le son [ã]	Mots avec le son [ɛ]	Mots avec le son [ɛ̃] ou [jɛ̃]
			b**ien**tôt

Repérer

17 Écoutez et répondez.  51

Qu'est-ce que tu voudrais pour Noël ?

1. Associez l'idée de cadeau avec la personne.

> Exemple :
A : – Un chat, c'est une idée de cadeau pour qui ?
B : – C'est une idée de cadeau pour Chloé.
C : – Je suis d'accord.

	Léo	Chloé	La mère
un chat		✓	
une surprise			
un ours en peluche			
un vélo			
un poisson rouge			
un ordinateur			
un chien			

2. Répondez et justifiez.

> Exemple :
– Pourquoi est-ce qu'un ordinateur n'est pas une bonne idée de cadeau pour Léo ?
→ Ce n'est pas une bonne idée, parce qu'il est trop petit.

1. Pourquoi est-ce que le père préfère un vélo ?
2. Pourquoi est-ce que la mère ne voudrait pas de chien ?
3. Pourquoi est-ce qu'un chat n'est pas une bonne idée de cadeau ?
4. Pourquoi est-ce que le père ne voudrait pas de poisson rouge ?

18 Qui le dit ? Qu'est-ce que ça veut dire ? 51

> Exemple :
– Qui dit « Bof… » ? Qu'est-ce que ça veut dire ?
→ C'est la mère. Elle n'aime pas l'idée du père.

1. « Un petit chien ? Ah non, pas de chien ! Ça ne va pas. »
2. « Pourquoi pas un petit chat ? »
3. « Voilà ! »
4. « Et toi, ma chérie, qu'est-ce que tu voudrais pour Noël ? »

À vous de jouer

19 Rejouez les scènes.   51 a-b

Répondre à une suggestion

❶ A : – Il aimerait bien un vélo ou un ordinateur.
B : – Un ordinateur ? Non, Léo est trop petit. Mais un vélo, pourquoi pas ! C'est une bonne idée.

❷ A : – Elle voudrait… un petit chien, je crois.
B : – Un petit chien ? Ah non, pas de chien ! C'est sale et c'est trop bruyant.

20 En situation.

Cherchons un cadeau de Noël.

25€ un sac de sport

42€ un stylo de luxe

89€99 un dictionnaire électronique

15€ un CD de musique classique

16€99 un DVD

75€ une montre suisse

12€50 un livre de littérature

45€ un jeu vidéo

Leçon 6 • Souhaits

Aidez-vous des tableaux de conjugaison
en pages annexes.

Communiquer

1 Répondez aux questions et donnez des précisions,
si possible.

> Exemple :
– Vous n'avez pas de vélo ? → Si, j'ai un vélo Peugeot.

1. Vous n'avez pas de voiture ?

   →..

2. Vous avez un animal domestique ?

   →..

3. Vous n'avez pas d'ordinateur portable ?

   →..

4. Vous n'avez pas de tablette numérique ?

   →..

5. Vous avez un appartement ?

   →..

2 Imaginez la réponse, comme dans l'exemple.

> Exemple :
– Pourquoi est-ce qu'il étudie le français ?
→ Parce qu'il voudrait aller en France.

1. Pourquoi est-ce qu'il n'a pas de chien ?

   →..

2. Pourquoi est-ce qu'elle n'aime pas l'opéra ?

   →..

3. Pourquoi est-ce qu'ils n'aimeraient pas habiter à côté de
   l'aéroport ?

   →..

4. Pourquoi est-ce qu'elle voudrait un scooter ?

   →..

5. Pourquoi est-ce qu'il voudrait avoir une télévision ?

   →..

3 Classez les mots suivants selon leur nombre de syllabes.

~~carte~~ – appartement – poisson – lecteur – chien – télévision –
sale – maison – numérique – amusante – ordinateur – tablette –
console – calme – ennuyeuse

Une syllabe	Deux syllabes	Trois syllabes	Quatre syllabes
carte	....	....	....
....	....	....	....
....	....	....	....

Lire

4 Lisez ce document et répondez aux questions.

À : joliejoly@gmail.com
Objet : Grand concours
De : Hypermarché Leclerc

Chère cliente, cher client,
Participez à notre grand concours de Noël !
Gagnez 2 000 € de bons-cadeaux dans votre magasin
Leclerc ! Pour cela, écrivez un email à
service-client@promoalert.fr et dites-nous ce que
vous aimeriez pour Noël.
Répondez vite !
Le service client

À : service-client@promoalert.fr
Objet : Re : Grand concours
De : Nadia Joly

Madame, Monsieur,

Je vous remercie pour votre message.
Voici ma réponse : au travail, j'ai un PC, mais pas à la maison.
Donc, j'aimerais avoir un ordinateur personnel ou une tablette
numérique.
À la maison, nous avons aussi une télévision mais elle est
un peu vieille. Mon mari et moi, nous aimerions avoir une
télévision avec une connexion Internet.
Voilà !
Merci d'avance.
Meilleures salutations,

Nadia Joly

1. Le premier message est un message :
   ☐ amical   ☐ familial   ☐ publicitaire.

2. Qui écrit à Nadia ? ....

3. Nadia a un ordinateur à la maison : ☐ vrai   ☐ faux.

4. Quel est le problème avec la télévision de Nadia ?

   ....

5. Qu'est-ce que Nadia aimerait avoir ?

   ....

6. Reliez la couleur du passage et sa fonction.

   ○ ○ les remerciements + les salutations finales

   ○ ○ la signature

   ○ ○ les salutations + les remerciements

   ○ ○ la réponse au message

Écrire

5 Écoutez et écrivez. 🔊 52

_____
_____
_____
_____
_____
_____
_____

6 Répondez au service client du magasin Leclerc, comme Nadia (voir exercice 4).
Faites quatre parties :

▭ ▭ ▭ ▭

Envoyer Discussion Joindre Adresses Polices Couleurs Enr. brouillon	

À : _____
Objet : _____
De : _____

_____
_____
_____
_____
_____
_____
_____
_____

Écouter

7 Écoutez et cochez ce que vous entendez. 🔊 53

	[ɑ̃]	[ɛ̃]
1. [p_]	☐ pan	☐ pain
2. [b_]	☐ banc	☐ bain
3. [v_]	☐ vent	☐ vain
4. [ʁ_]	☐ rang	☐ rein
5. [l_]	☐ lent	☐ lin

8 Écoutez et répondez aux questions. 🔊 54

1. C'est : ☐ avant Noël ☐ après Noël ☐ le jour de Noël.
2. Où est le reporter ? ....
3. Qui est…
   – la première personne interrogée ? ....
   – la deuxième personne interrogée ? ....
   – la troisième personne interrogée ? ....
4. Qu'est-ce que les personnes voudraient pour Noël ?
   Indiquez "**personne 1**", "**personne 2**" et "**personne 3**" sous la photo.

....	....	....
....	....	....

5. Pourquoi est-ce que les parents du jeune homme ne sont pas d'accord ?
   ....
6. Pourquoi est-ce que la fiancée de l'homme n'est pas d'accord ?
   ....

Comment dit-on dans votre langue ?

« Vous pouvez interroger une dernière personne ? » :
....
« Joyeux Noël ! » : ....

Un cadeau d'anniversaire

Trouvez une idée de cadeau d'anniversaire pour des amis dans la classe !

01 Interrogez votre voisin(e) sur ce qu'il/elle aime et remplissez la fiche. (Document 1) **?**

02 Formez un groupe avec d'autres personnes. Expliquez à votre groupe ce que votre voisin(e) aime (aidez-vous de la boîte d'expressions). **♥**

03 En groupe, regardez le catalogue et proposez des idées de cadeau d'anniversaire. (Document 2) **▬**

04 Écrivez vos trois idées de cadeau. (Document 3)

05 Partagez vos idées dans la classe. Vérifiez vos choix : demandez à vos amis s'ils voudraient vos cadeaux.

Document 1

> Exemple :

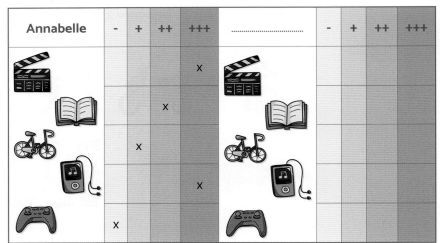

Annabelle	-	+	++	+++	....	-	+	++	+++
🎬				x					
📖			x						
🚲		x							
🎵				x					
🎮	x								

Document 2

Une tablette numérique **489€**

Un film français en DVD **15€**

Un livre **27€**

Un CD de chansons françaises **15€**

Un téléviseur **299€**

Une console de jeux vidéo

Un jeu vidéo **55€**

Un vélo **99€**

215€

Une raquette de tennis **75€**

Une casquette **20€**

Une bande dessinée française **10€**

• Expressions

Je pense qu'Annabelle aimerait avoir une voiture pour Noël, non ?

Je pense que c'est un peu cher.

+ C'est une bonne idée !   - Vous croyez ?

Document 3

Idée de cadeau pour Annabelle : un film français en DVD ?	....	....

Partie 1

Compréhension de l'oral

10 min environ / 25 points

Pour répondre aux questions, cochez (✓) la bonne réponse, ou écrivez l'information demandée.

Exercice 1

15 points

Regardez les images. Vous allez entendre 5 messages. Associez chaque situation à une image. 🔊 55

> Exemple :
Vous entendez : « Message 1 – Qu'est-ce qu'ils aiment faire, tes amis ?
– Mes amis, ils aiment jouer au football. »
La bonne réponse est l'image F.

Image A	Image B	Image C

Message n°	Message n°	Message n° ....

Image D	Image E	Image F

Message n°	Message n°	Message n° 1.

Exercice 2

10 points

Vous allez entendre 2 fois un document. Vous aurez 30 secondes de pause entre les 2 écoutes puis 30 secondes pour vérifier vos réponses. Lisez d'abord les questions.

Répondez aux questions. 🔊 56

1. Sarah n'aime pas...   **2 points**

   ☐ aller au cinéma.
   ☐ aller en discothèque.
   ☐ écouter de la musique.

2. Qu'est-ce que Sarah aime ?   **4 points**

   ....

3. Qu'est-ce que Nathan voudrait faire samedi soir ?   **4 points**

   ....

Compréhension des écrits

15 min / 25 points

Pour répondre aux questions, cochez (✓) la bonne réponse, ou écrivez l'information demandée.

Exercice 1

10 points

Regardez ce document et répondez aux questions.

1. C'est : ☐ un e-mail   ☐ une publicité   ☐ une lettre.   2 points

2. Le Tompad, qu'est-ce que c'est ?   4 points

   C'est ....

3. Le Tompad est pratique pour...   4 points

   ☐ les sportifs   ☐ les amateurs de multimédia   ☐ les musiciens.

Exercice 2

15 points

Regardez ce document et répondez aux questions.

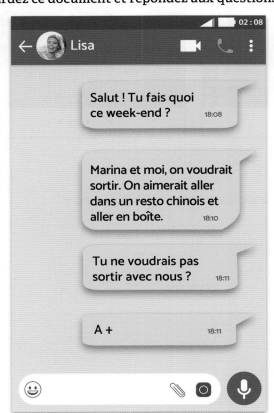

1. C'est : ☐ un texto   ☐ une publicité   ☐ une lettre.

2. À qui écrit-on ? ....

3. Quelles sont les activités proposées ?

☐ a.   ☐ b.   ☐ c.

☐ d.   ☐ e.   ☐ f

Partie 3   Production écrite
15 min /25 points

Exercice 1   10 points

Répondez à cette enquête sur votre consommation culturelle.

Répondez à notre enquête et gagnez…

… 1 tablette numérique
… des livres
… des CD
… des jeux vidéo

GRANDE ENQUÊTE
Prix Francs @ Culture

Mon nom : ....

Mon prénom : ....

Mon adresse e-mail : ....

Mon livre préféré : ....

Mon film préféré : ....

Ma musique préférée : ....

Ma sortie préférée : ....

Mon loisir préféré : ....

Exercice 2   15 points

Vous écrivez un e-mail à un(e) ami(e)
pour lui proposer de sortir ce soir (20 mots).

De : ....

Objet : Ce soir

....,

....

....

....

....

....

....

Partie 4   Production orale
5 à 7 min, préparation : 10 min / 25 points

L'épreuve se déroule en trois parties : un entretien dirigé, un échange d'informations et un dialogue simulé (ou jeu de rôle). Elle dure de 5 à 7 minutes. Vous disposez de 10 minutes de préparation pour les parties 2 et 3.

Entretien dirigé (1 minute environ)   8 points

Interrogez-vous à tour de rôle.

- Est-ce que vous aimez aller au cinéma ? / Est-ce que tu aimes aller au cinéma ?
- Quel genre de films vous aimez ? / Tu aimes quel genre de films ?
- Est-ce que vous avez une télévision ? / Tu as une télévision ?
- Est-ce que vous aimeriez avoir un chat ? / Tu aimerais avoir un chat ?

Échange d'informations (2 minutes environ)   8 points

À partir des cartes sur lesquelles figurent des mots, vous posez 4 questions à votre voisin.

Exemple : Téléphone portable → « Est-ce que vous avez un téléphone portable ? »

Football ?	Téléphone portable ?	Discothèque ?
Musique ?	Cadeau ?	Chien ?
Préférer ?	Étudier ?	Film ?

Dialogue simulé (ou jeu de rôle) (2 minutes environ)   9 points

Vous allez simuler une situation → *C'est votre anniversaire. Votre camarade propose des idées de cadeaux. Vous êtes d'accord ou pas d'accord. Dites pourquoi.*

UNITÉ 3
Endroits

Les audios, les vidéos et les images complémentaires sont disponibles sur l'**Espace digital** : interactions.cle-international.com.

Leçon 7 • Lieux
Leçon 8 • Environnement
Leçon 9 • Visites

Projet : une destination idéale

DELF

Leçon 7 • Lieux

1 (1) Répétez après votre professeur. (2) Écoutez l'enregistrement et entourez ce que vous entendez. 👥 🔊 57

	[a]	[O]	[u]	[i]	[ɛ]
[_ʁ]	ar	or	our	ir	èr
[p_ʁ]	par	por	pour	pir	pèr
[ʁ_]	ra	ro	rou	ri	rè
[ʁ_ʁ]	rar	ror	rour	rire	rèr

Échanger

2 (1) Répondez au professeur. (2) Puis, interrogez-vous avec le vocabulaire. 👥

> Exemple :
A : – Ça, c'est la tour Eiffel. Vous savez où c'est ?
B : – Oui, c'est en France, à Paris.

Les monuments :

la tour Eiffel

l'Arc de Triomphe

le mont Fuji

Les pays :

la France

le Japon

les États-Unis

l'opéra de Sydney

le temple d'Angkor Vat

le château Frontenac

la Russie

l'Italie

l'Australie

la statue de la Liberté

la place Rouge

le Colisée

le Cambodge

le Québec

Et aussi :

joli / joli(e) (+)
beau / belle (++)
magnifique (+++)

ancien / ancienne ≠

moderne

connu / connue, célèbre

entre... et...

à côté de...
= près de...

3 Écoutez et imitez.

> C'est magnifique !
> Qu'est-ce que c'est ?

> Vous ne connaissez pas ? Ce sont les Champs-Élysées.

> Si, bien sûr. Et... où est-ce que c'est exactement ?

> Eh bien, c'est en France, à Paris, près de l'Arc de Triomphe.

> Elle est belle, ta photo ! C'est quoi ?

> Ben, c'est la tour Eiffel ! Tu ne connais pas ?

> Ben non... Je ne connais pas. C'est où ? C'est connu ?

> C'est en France, à Paris, à côté de la Seine. C'est très célèbre !

À vous de jouer

4 Interrogez-vous à partir des images. 20-22

> Exemple :
A : – Oh, qu'est-ce que c'est ?
B : – Eh bien, c'est la tour de Pise.
A : – Ah oui ? Et où est-ce que c'est ?
B : – C'est en Italie, à Pise.
A : – Ah ! D'accord !

① le pont de Brooklyn
(New York, États-Unis)

le château de Versailles (France)

la tour de Pise (Italie)

③ la place de la Concorde (Paris, France)

5 Jouez les scènes.

Leçon 7 • Lieux

6 Écoutez, barrez les lettres qui ne se prononcent pas, puis lisez à voix haute. ◄)) **59**

Les consonnes finales non prononcées

> Exemple :
Est-ce qu'ils connaissent les Champs-Élysées ?

1. Vous connaissez le Palais Royal ?
2. Vous connaissez la place du Palais Royal ?
3. Est-ce que vous connaissez la place du Palais Royal ?
4. Vous connaissez le Louvre, bien sûr, mais est-ce que vous connaissez la place du Palais Royal ?

Lire

7 Repérez puis répondez.

1. Qui écrit l'e-mail ?
2. Elle habite où ?
3. Elle écrit à qui ?
4. Elle parle de quoi ?

8 Lisez puis répondez.

1. Pourquoi est-ce que Juliette est contente ?
2. Est-ce que Juliette aime Paris ?
3. Qu'est-ce qu'elle aime dans la capitale ? Pourquoi ?
4. Comment s'appelle la région située à 200 kilomètres de Paris ?
5. Pour Juliette, comment est cette région ? Pourquoi ?

9 Retrouvez dans le document les passages correspondants.

> Exemple :
Juliette salue ses parents. → « *Chère Maman, cher Papa, comment ça va à Montréal ?* »

1. Juliette décrit où elle habite. (2 phrases)
2. Juliette signe.
3. Juliette parle de ses projets. (2 phrases)
4. Juliette prend congé. (3 phrases)
5. Juliette donne ses impressions. (2 phrases)

UNE ÉTUDIANTE QUÉBÉCOISE EN FRANCE

Écrire

10 (1) Lisez, (2) recopiez, puis (3) comparez avec votre voisin.

> Est-ce que vous connaissez Bruxelles, la capitale de la Belgique ? C'est une ville magnifique. L'architecture de la Grand-Place, avec l'Hôtel de Ville, est vraiment très jolie.

3 Écoutez et imitez. 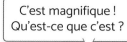 58

> C'est magnifique !
> Qu'est-ce que c'est ?

> Vous ne connaissez pas ? Ce sont les Champs-Élysées.

> Elle est belle, ta photo !
> C'est quoi ?

> Si, bien sûr. Et... où est-ce que c'est exactement ?

> Eh bien, c'est en France, à Paris, près de l'Arc de Triomphe.

> Ben, c'est la tour Eiffel ! Tu ne connais pas ?

> Ben non... Je ne connais pas. C'est où ? C'est connu ?

> C'est en France, à Paris, à côté de la Seine. C'est très célèbre !

À vous de jouer

4 Interrogez-vous à partir des images. 20-22

> Exemple :

A : – Oh, qu'est-ce que c'est ?
B : – Eh bien, c'est la tour de Pise.
A : – Ah oui ? Et où est-ce que c'est ?
B : – C'est en Italie, à Pise.
A : – Ah ! D'accord !

1

le pont de Brooklyn
(New York, États-Unis)

2

le château de Versailles (France)

3

la place de la Concorde (Paris, France)

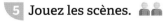

la tour de Pise (Italie)

5 Jouez les scènes.

Leçon 7 • Lieux

6 Écoutez, barrez les lettres qui ne se prononcent pas, puis lisez à voix haute. 👥 🔊 59

Les consonnes finales non prononcées

> Exemple :
Est-ce qu'ils connaissent les Champs-Élysées ?

1. Vous connaissez le Palais Royal ?
2. Vous connaissez la place du Palais Royal ?
3. Est-ce que vous connaissez la place du Palais Royal ?
4. Vous connaissez le Louvre, bien sûr, mais est-ce que vous connaissez la place du Palais Royal ?

Lire

7 Repérez puis répondez.

1. Qui écrit l'e-mail ?
2. Elle habite où ?
3. Elle écrit à qui ?
4. Elle parle de quoi ?

8 Lisez puis répondez.

1. Pourquoi est-ce que Juliette est contente ?
2. Est-ce que Juliette aime Paris ?
3. Qu'est-ce qu'elle aime dans la capitale ? Pourquoi ?
4. Comment s'appelle la région située à 200 kilomètres de Paris ?
5. Pour Juliette, comment est cette région ? Pourquoi ?

9 Retrouvez dans le document les passages correspondants. 👥

> Exemple :
Juliette salue ses parents. → « *Chère Maman, cher Papa, comment ça va à Montréal ?* »

1. Juliette décrit où elle habite. (2 phrases)
2. Juliette signe.
3. Juliette parle de ses projets. (2 phrases)
4. Juliette prend congé. (3 phrases)
5. Juliette donne ses impressions. (2 phrases)

UNE ÉTUDIANTE QUÉBÉCOISE EN FRANCE

Écrire

10 (1) Lisez, (2) recopiez, puis (3) comparez avec votre voisin. 👥

> Est-ce que vous connaissez Bruxelles, la capitale de la Belgique ? C'est une ville magnifique. L'architecture de la Grand-Place, avec l'Hôtel de Ville, est vraiment très jolie.

À : famille.dujardin@yahoo.ca

Objet : Ma vie en France

De : juliette.dujardin.23@univ-sorbonne.fr

Chère Maman, cher Papa,

Comment ça va à Montréal ? Moi, ça va.
Me voilà à Paris, chez mon amie Élodie, au métro Palais Royal, à côté du musée du Louvre. Je suis donc au centre de la capitale, quelle chance !
J'apprécie vraiment Paris : j'aime beaucoup la cathédrale Notre-Dame, j'aime vraiment la tour Eiffel et sa vue magnifique, j'adore les Champs-Élysées avec ses magasins ! Cette ville est magique.

Ce week-end, je voudrais aller dans la vallée de la Loire avec des amis de l'université. C'est une région très intéressante avec plus de 40 châteaux, à 200 km de Paris.

Bon, je vous laisse...
À bientôt !
Je vous embrasse,

Juliette

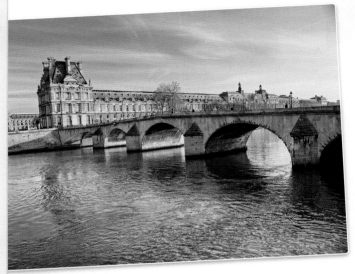

Dictée

11 (1) Écoutez et (2) écrivez. 🔊 60

Opéra Bastille (Paris, 12ᵉ)

Chère Chloé,

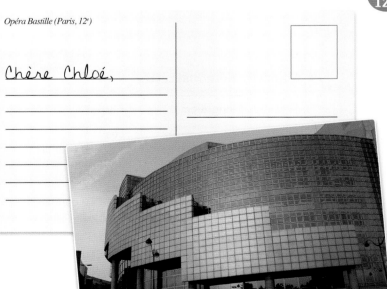

Rédiger

12 (1) Écrivez une présentation de votre ville, (2) lisez votre présentation à votre équipe, (3) choisissez la meilleure présentation de votre équipe et présentez-la à la classe.

Introduction	Cher... / Chère...
Présentation d'une ville	Tu connais... ?
Précisions	C'est à... ? Il y a...
Impressions	C'est beau / intéressant.
Questions	Tu aimes... ? Tu voudrais... ? Tu connais... ?
Salutation	Bon, ...

Leçon 7 • Lieux

Désigner un endroit unique

> Observez :

A : – Je voudrais visiter la France. Qu'est-ce qu'il y a d'intéressant ?

B : – À Paris, il y a le musée du Louvre, la tour Eiffel, l'Arc de Triomphe et les Champs-Élysées.

A : – Et dans le sud de la France ?

B : – Dans le Sud, il y a beaucoup de monuments anciens, comme le pont d'Avignon ou les arènes de Nîmes.

13 **Complétez avec un article.**

1. En France, il y a beaucoup d'endroits très connus.
   À Paris, il y a .... Louvre, ... opéra Garnier,
   .... cathédrale Notre-Dame et .... Champs-Élysées.
   À Lyon, il y a .... musée des Beaux-Arts, ... célèbre place
   Bellecour et .... quartier de la Croix-Rousse.

2. Dans le sud de .... France, à Avignon, vous avez .... palais des
   Papes, ... célèbre pont de la chanson, mais aussi .... centre-ville
   historique. Pas loin, vous avez .... Alpes, avec .... mont Blanc.

• Articles définis + endroit unique

	Singulier	Pluriel
+ nom masculin	**le** Ex. : Je visite le Louvre.	**les** Ex. : J'aime les châteaux de la Loire.
+ nom féminin	**la** Ex. : Tu connais la tour Eiffel ?	**les** Ex. : Les Pyrénées sont dans le sud-ouest de la France.
+ nom avec : a, e, i, o, u, h	**l'** Ex. : L'opéra de Sydney est moderne.	**les** Ex. : Ils aiment les îles de Polynésie.

N le nord
l'ouest **O** — **E** l'est
S le sud

La préposition devant les pays

> Observez :

– Le mont Fuji, c'est au Japon.

– La place Rouge, c'est en Russie, à Moscou.

– Pendant les vacances, j'aimerais aller en Australie.

– Mes amis habitent aux États-Unis.

14 **Interrogez-vous, comme dans l'exemple.**

> **Exemple :**

(la tour Eiffel / la France)

A : – La tour Eiffel, c'est où ?

B : – C'est en France.

1. (le Colisée / l'Italie)
2. (Big Ben / l'Angleterre)
3. (le Sphinx / l'Égypte)
4. (le pont du Golden Gate / les États-Unis)
5. (le mont Everest / le Népal + la Chine)

• Prépositions *au, en, aux* + pays

	Localisation ou destination
au + pays masculin	Ex. : Le château Frontenac, c'est au Canada. (→ localisation) Je voudrais aller au Vietnam. (→ destination)
en + pays féminin	Ex. : La cathédrale Notre-Dame, c'est en France, à Paris. (→ localisation) Je voudrais aller en Finlande. (→ destination)
en + pays avec : A, E, I, O, U	Ex. : Je voudrais aller en Irlande. (→ destination)
aux + pays au pluriel	Ex. : La statue de la Liberté, c'est aux États-Unis, à New-York. (→ localisation)

Les démonstratifs

15 **Interrogez-vous à l'écrit, comme dans l'exemple.**

> **Exemple :**

(place Bellecour / Lyon)

A : – Tu connais la place Bellecour ?

B : – Oui, je connais cette place. C'est à Lyon.

1. (pont d'Avignon / sud-est de la France)
2. (opéra Garnier / Paris)
3. (avenue des Champs-Élysées / centre de Paris)
4. (hôtel Ibis / à côté de la gare)
5. (Pyrénées / sud-ouest de la France)

• Adjectifs démonstratifs

	Singulier	Pluriel
+ nom masculin	**ce** Ex. : Tu connais ce monument ?	**ces** Ex. : Tu connais ces monuments ?
+ nom féminin	**cette** Ex. : Tu connais cette tour ?	**ces** Ex. : Tu connais ces tours ?
+ nom avec : a, e, i, o, u, h	**cet** Ex. : Tu connais cet hôtel ?	**ces** Ex. : Tu connais ces hôtels ?

S'échauffer

16 Prononcez, soulignez le son [ʁ] puis écrivez les mots dans les colonnes correspondantes.

une cuisinière – le pont du Gard – pour – bien sûr – un portable – répéter – un restaurant – un numéro – une corrida – des arènes – très – par contre – un peintre – un profil – la Provence – la France – les Français

Le son [ʁ] est au début du mot	Le son [ʁ] est devant une consonne	Le son [ʁ] est à la fin du mot	Le son [ʁ] est entre deux voyelles	Le son [ʁ] est après une consonne
un <u>r</u>estaurant	un po<u>r</u>table		un <u>r</u>estau<u>r</u>ant	

Repérer

17 Écoutez et répondez. 🔊 **61**

C'est où ça ?

1. Pourquoi est-ce que Juliette ne connaît pas bien la France ?
2. Où est le palais des Papes ?
3. Il est comment ?
4. Comment sont les arènes de Nîmes ?
5. Où est le pont de Roquefavour ?
6. Pourquoi est-ce que Juliette dit : « Le pont de quoi ? »
7. Comment s'appellent les monuments sur les photos ?

La ville de Nîmes

Les arènes de Nîmes

Le palais des Papes

Le Pont de Roquefavour

18 Qui le dit ? Qu'est-ce que ça veut dire ? 🔊 **61**

> Exemple :
– Qui dit « Oh, ça va ! » ?
Qu'est-ce que ça veut dire ?
→ C'est Élodie. Elle est agacée.

1. « Dis donc, elles sont pas mal, tes photos. »
2. « Euh oui, je connais de nom. »
3. « Quoi ? Des corridas ? En France ? »
4. « Le pont de quoi ? Et... c'est connu ? »

À vous de jouer

19 Rejouez les scènes. 🔊 **61 a-b**

S'informer / Informer et préciser

❶ A : – Tiens, c'est quoi ça ?
B : – Ce sont mes photos de vacances en Provence.

❷ A : – C'est où ?
B : – C'est à Avignon, c'est le palais des Papes. Il est célèbre, tu sais.

20 En situation.

Raconter ses vacances.

Vous montrez vos photos à vos amis.
Ils vous posent des questions.

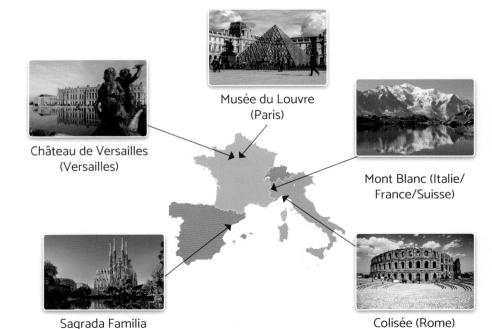

Musée du Louvre (Paris)

Château de Versailles (Versailles)

Mont Blanc (Italie/ France/Suisse)

Sagrada Familia (Barcelone)

Colisée (Rome)

Leçon 7 • Lieux

Aidez-vous des tableaux de conjugaison
en pages annexes.

Communiquer

1 Répondez aux questions comme dans l'exemple.
(Aidez-vous d'Internet si nécessaire.)

> Exemple :
– Big Ben, c'est où ?
→ C'est en Angleterre, à Londres.

1. Le musée d'Orsay, c'est où ?
   → ....

2. La statue de la Liberté, où est-ce que c'est ?
   → ....

3. Le Kremlin, c'est où ?
   → ....

4. Le château de Nijō, où est-ce que c'est ?
   → ....

5. La Sagrada Familia, c'est où ?
   → ....

6. Le Palais Royal de Gyeongbokgung, où est-ce que c'est ?
   → ....

2 Répondez aux questions et donnez
des précisions, si possible.

> Exemple :
– Vous connaissez Nice ?
→ Oui, je connais. C'est dans le sud-est de la France, à côté de
   l'Italie.

1. Vous ne connaissez pas le pont d'Avignon ?
   → ....

2. Vous connaissez le mont Blanc ?
   → ....

3. Vous ne connaissez pas Strasbourg ?
   → ....

4. Vous connaissez Lille ?
   → ....

5. Vous ne connaissez pas la place de la Concorde ?
   → ....

3 Lisez les phrases. Barrez les sons qui ne se
prononcent pas et notez les liaisons.

> Exemple :
– Ils‿aiment aller au café.

1. J'habite à Nice.
2. Nice est une ville magnifique.
3. Elle aime aller à la mer.
4. Elles aiment aller au musée.
5. Ils habitent dans un appartement.

Lire

4 Lisez ce document et répondez aux questions.

À : romain.m@gmail.com
Objet : Nouvelles
De : maeva_67@orange.fr

Cher Romain,

Comment vas-tu ? Moi, je vais bien.
J'habite maintenant à Nice, dans le sud-est de la France.
Nice est une ville magnifique, mais il y a beaucoup de touristes !
Il y a la mer ici aussi, des marchés, des casinos et le musée Marc
Chagall. Ce musée est très intéressant !
Le samedi après-midi, j'aime bien faire les magasins et,
le samedi soir, j'aime aller au café ou en boîte avec des amis
de l'université. Les étudiants français aiment sortir le week-end,
surtout le samedi soir.
Comment vont tes parents ?
Bon, je te laisse. À bientôt !
Bises,

Maéva

1. C'est : ☐ une carte postale ☐ une lettre ☐ un e-mail.
2. Pourquoi est-ce que Maéva habite à Nice ?
   ....
3. Où est Nice ? ....
4. Qu'est-ce qu'il y a à Nice ? ....
   ....
5. Qu'est-ce que Maéva aime faire le week-end ? ....
   ....
6. Nice est comment ? ....
   ....

Écrire

5 Écoutez et écrivez. 🔊 62

....

....

....

....

....

....

....

....

....

....

6 Sur le modèle de l'exercice 4, écrivez un e-mail sur votre ville à un(e) ami(e). Dites où c'est, ce qu'il y a, comment c'est, ce que vous aimez faire et ce que vous n'aimez pas. N'oubliez pas de saluer et de conclure.

Envoyer	Discussion	Joindre	Adresses	Polices	Couleurs	Enr. brouillon

À :

Objet :

De :

....

....

....

....

....

....

....

....

Écouter

7 Écoutez et cochez ce que vous entendez. 🔊 63

	[ã]	[ɔ̃]
1. [p_]	☐ pan	☐ pont
2. [b_]	☐ banc	☐ bon
3. [v_]	☐ vent	☐ vont
4. [ʁ_s]	☐ rance	☐ ronce
5. [l_]	☐ lent	☐ long

8 Écoutez et répondez aux questions. 🔊 64

1. C'est :
   ☐ un jeu télévisé.
   ☐ un examen.
   ☐ un documentaire.
2. On parle de :
   ☐ personnages.
   ☐ villes.
   ☐ lieux et monuments célèbres.
3. Comment s'appelle le premier lieu ?
   ....
4. Où est-ce que c'est ?
   ....
5. Qu'est-ce qu'il y a ?
   ....
6. Comment s'appelle le deuxième lieu ?
   ....
7. Où est-ce que c'est ?
   ....
8. Comment s'appelle le troisième lieu ?
   ....
9. Où est-ce que c'est ?
   ....
10. Qu'est-ce qu'il y a ?
    ....

Comment dit-on dans votre langue ?

« 1 point pour Stéphanie » : ....

« Ce n'est pas ça. » : ....

Leçon 8 • Environnement

S'échauffer

1 (1) **Répétez après votre professeur.**
(2) **Écoutez l'enregistrement et entourez ce que vous entendez.** 🔊 65

	[a]	[o]	[u]	[i]	[y]
[s_]	sa	so	sou	si	su
[z_]	za	zo	zou	zi	zu
[ʃ_]	cha	cho	chou	chi	chu
[ʒ_]	ja	jo	jou	ji	ju

Échanger

2 (1) **Répondez au professeur.** (2) **Puis, interrogez-vous avec le vocabulaire.**

> Exemple :
– Qu'est-ce qu'il y a dans votre / ton quartier ?
– Je cherche la poste. Où est-ce qu'elle est, sur le plan ?

une boulangerie

une boucherie

une pharmacie

une poste

un supermarché

un centre commercial

une gare

une station de métro

une mairie

une école

un commissariat de police

une église

une place

un parc

sur

devant

derrière

à gauche (de...)

à droite (de...)

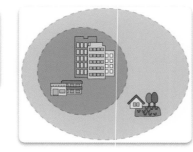
centre-ville
banlieue

ici (≠ là-bas)

en face (de...)

loin (de...)

dans

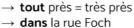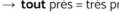
→ **tout** près = très près
→ **dans** la rue Foch

3 Écoutez et imitez. 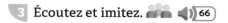 66

> Tu habites en banlieue ?
>
> Non, j'habite dans le centre-ville, à côté de la place de la République.
>
> Ah ? Et il est comment ton quartier ?
>
> Oh, il est pratique : il y a une poste, des banques et beaucoup de magasins. Par contre, il n'y a pas de cinéma.

> Excusez-moi monsieur, je cherche la poste, s'il vous plaît.
>
> La poste ? Elle est sur la place de l'église, en face de la mairie.
>
> La place de l'église ? Où est-ce qu'elle est ?
>
> Elle est dans le centre-ville.
>
> Merci monsieur.
>
> Je vous en prie.

À vous de jouer

4 Interrogez-vous à partir des images. 23-25

> Exemple :

A : – Où se trouve la poste ?
B : – Elle est dans la rue Foch, en face de l'hôpital Saint-Jacques.

RUE FOCH
RUE DE LA PAIX
RUE CHARLES DE GAULLE
RUE KENNEDY
RUE DE LA RÉPUBLIQUE
RUE DE LA SANTÉ
Boucherie
Boulangerie

🌲 Parc

⊕ Hôpital Saint-Jacques

✉ La Poste

🏛 Mairie

🛒 Supermarché

⊕ Pharmacie Pasteur

🚆 Gare ferrovaire

Ⓜ Métro

Commissariat

École Marie Curie

⛪ Église

5 Jouez des scènes à partir du plan de l'activité 4.

Leçon 8 • Environnement

S'échauffer

6 Écoutez, faites comme dans l'exemple, puis lisez à voix haute. 67

Le groupe rythmique

> Exemple :

J'ha/bite / dan/s un / gran/d a/ppar/te/ment, / près / de la / mai/rie, / dans le-/ cen/tre/-ville.

1. C'est en ville.

2. L'appartement est en ville.

3. Le nouvel appartement est en ville.

4. Le nouvel appartement est situé dans le centre-ville.

Lire

7 Repérez puis répondez.

> Exemple :

– Quel logement a un parking ?

→ C'est l'appartement de l'annonce 3. La maison et le premier appartement n'ont pas de parking.

1. Il y a combien de pièces dans la maison ? Et dans les appartements ?

2. Quel logement est dans le centre-ville ?

3. Quel logement n'est pas en ville ?

4. Quel logement est cher ?

Règle n° 22

Répondre à une question avec « Quel... ? »

Quel logement a un parking ?
→ *C'est l'appartement de l'annonce 3.*

---

8 Lisez puis répondez.

> Exemple :

– Quel logement est pratique pour des personnes avec des animaux ?

→ C'est la maison parce qu'il y a un jardin.

1. Quel logement est calme ?

2. Quel logement est bruyant ?

3. Quel logement n'est pas pratique pour les personnes sans voiture ?

4. Quel logement est pratique pour un étudiant ?

5. Vous préférez quel logement ?

Annonce N°1

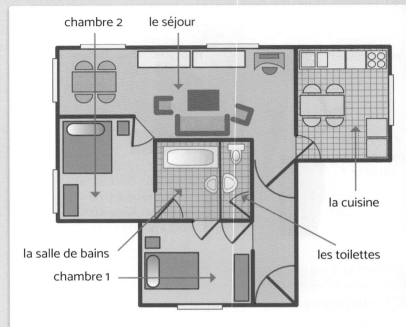

chambre 2 — le séjour — la cuisine — la salle de bains — chambre 1 — les toilettes

Description : très bel appartement ancien de 3 pièces, avec 2 chambres, cuisine, salle de bains et wc. 2ᵉ étage, sans ascenseur. Sans parking.

Situation : situé dans le centre-ville de Nantes, à côté de la cathédrale et des services, nombreuses boutiques.

Prix : 1 000 € / mois

9 Précisez quelle annonce correspond à la description.

Le logement...	Annonce n° 1	Annonce n° 2	Annonce n° 3
1. est neuf.	☐	☐	☐
2. a un parking.	☐	☐	☐
3. a un ascenseur.	☐	☐	☐
4. est à la campagne.	☐	☐	☐
5. est situé près de la gare.	☐	☐	☐

Écrire

10 (1) Lisez, (2) recopiez, puis (3) comparez avec votre voisin.

Habiter dans le centre-ville est généralement très agréable, mais les maisons sont anciennes et chères. Alors, beaucoup de Français préfèrent vivre en banlieue.

Annonce N°2

Description : belle maison de 5 pièces, avec 3 chambres, salle de bains. Avec garage et jardin.
Situation : à 15 min de Nantes, dans un village calme et agréable, école, commerces.
Prix : 850 € / mois

Annonce N°3

Description : appartement 2 pièces, neuf, meublé, salle de bains avec wc. Parking.
Situation : en banlieue, à 10 min de la gare, 10ᵉ étage, ascenseur, en face du centre commercial, grand cinéma.
Prix : 475 € / mois

Dictée

11 (1) Écoutez et (2) écrivez. 🔊 68

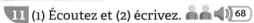

Interview
Estelle, 19 ans

Rédiger

12 (1) Écrivez une présentation de votre quartier, (2) lisez la présentation de votre quartier à votre équipe (3) présentez le quartier préféré de votre équipe à la classe.

- Nom du quartier et localisation
- Avantages du quartier
- Inconvénients du quartier
- Impression générale

J'habite à Paris dans le 6ᵉ arrondissement, dans la rue de Condé, pas loin de la station de métro Odéon. C'est bien situé (il y a beaucoup de cafés et de restaurants).
C'est bien parce que c'est à côté du jardin du Luxembourg, mais la vie est chère et il n'y a pas d'endroit pour les jeunes (pas de discothèque...).
J'aime habiter dans mon quartier parce que c'est calme et agréable.

Leçon 8 • Environnement

De l'article indéfini (un, une, des) à l'article défini (le, la, les)

> Observez :

– Dans mon quartier, il y a un musée : c'est le musée du Louvre.
– En face de chez moi, il y a une place : c'est la place de la République.

– J'habite à côté d'une école : c'est l'école Marie Curie.
– Dans le sud-est de la France, il y a des montagnes : ce sont les Alpes*.

* = ce sont les ~~montagnes~~ Alpes.

13 Complétez, puis vérifiez.

> Exemple :
– À Nantes, il y a **un** restaurant célèbre :
c'est **le** restaurant La Cigale.

1. Sur la place, il y a .... café ; c'est .... café de l'Écluse.
2. Vous connaissez .... palais de justice de Nantes ?
   C'est .... immeuble de .... architecte Jean Nouvel.
3. Dans .... quartier Graslin, il y a .... théâtre ancien.
4. Dans .... centre-ville de Nantes, on trouve .... château des Ducs de Bretagne, ... commerces et .... immeubles.

La négation

> Observez :
– Je n'aime pas vivre à la campagne.
– Je ne voudrais pas habiter dans cette maison ;
  elle n'est pas très moderne.

14 Répondez comme dans l'exemple.

> Exemple :
– Cette maison est ancienne !
→ Oui, elle n'est pas très moderne.

1. Cette maison est petite !
2. Ce film est ennuyeux !
3. Ce jardin est sale !
4. Ce quartier est bruyant !
5. Le centre-ville est loin !

La négation de l'article indéfini (un, une, des) en position « objet »

> Observez :
– Dans mon quartier, il n'y a pas de commerce, pas d'école pour les enfants.
Par contre, il n'y a pas d'immeuble et pas de bruit.

Règle n° 23

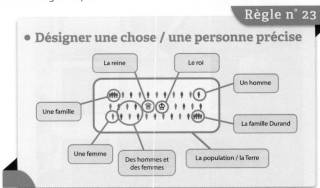

• Désigner une chose / une personne précise

La reine — Le roi — Un homme — Une famille — La famille Durand — Une femme — Des hommes et des femmes — La population / la Terre

Règle n°24

• La négation porte sur le verbe.

Phrase affirmative	Négation	Phrase négative
Je connais ce quartier.	**ne + verbe + pas**	Je ne connais pas ce quartier.
J'aime habiter en ville.	**n' + a, e, i, o, u, h, y + pas**	Je n'aime pas habiter en ville.

Soyez moins direct ! Ne dites pas :
« *Cette maison est petite.* », mais dites :
« *Cette maison n'est pas très grande.* »

Règle n°25

• La négation indique l'absence d'objet.

Phrase affirmative	Négation	Phrase négative
Il y a une boîte de nuit dans ce quartier.	**pas de + objet**	Il n'y a pas de boîte de nuit dans ce quartier.
Il y a un immeuble.	**pas d' + a, e, i, o, u, h, y**	Il n'y a pas d'immeuble.

Attention : C'est une voiture ?
→ Non, ce n'est pas une voiture.

15 Interrogez-vous sur les trois logements de la page précédente.

> Exemple :
– Est-ce qu'il y a un parking dans l'immeuble du centre-ville ?
  → Non, il n'y a pas de parking dans cet immeuble.

1. Est-ce qu'il y a un cinéma près de l'appartement en banlieue ?
2. Est-ce qu'il y a un ascenseur dans l'immeuble du centre-ville ?
3. Est-ce qu'il y a des magasins près de la maison ?
4. Est-ce qu'il y a une école près de cette maison ?

S'échauffer

16 Prononcez, soulignez le son [s], [z], [ʃ], [ʒ] puis écrivez les mots dans les colonnes correspondantes.

un chat – *un magasin* – *une boulangerie* – *une boucherie* – *une pizzeria* – *un château* – *la place* – *l'église* – *ancienne* – *sympathique* – *génial* – *ce* – *ça* – *sais* – *si* – *sur* – *en face* – *aussi* – *ce soir* – *près d'ici* – *ici* – *passer*

Mots avec le son [s]	Mots avec le son [z]	Mots avec le son [ʃ]	Mots avec le son [ʒ]
	un maga̱sin	*un cha̱t*	

Repérer

17 Écoutez et répondez. 🔊 69

Il y a un cinéma près d'ici ?

1. Cochez ce qu'il y a à côté du café et vérifiez avec votre voisin.

- ☐ une banque
- ☐ une boîte de nuit
- ☑ une boulangerie
- ☐ une boucherie
- ☐ un cinéma
- ☐ une église
- ☐ une gare
- ☐ une poste
- ☐ un restaurant italien

2. Dites où sont les lieux suivants :
la boulangerie / la poste / l'église /
la pizzeria / la gare / la banque

> Exemple :
A : – Où est la boulangerie ?
B : – Elle est près du café.

3. Répondez et justifiez votre réponse.
1. Pourquoi est-ce que Romain dit que son quartier
est pratique ?
2. Comment est l'église Saint-Martin ?
3. Est-ce que Clément aimerait habiter dans le quartier
de Romain ?
4. Est-ce que le quartier est vraiment pratique ?

18 Qui le dit ? Qu'est-ce que ça veut dire ? 69

> Exemple :
– Qui dit « Ça, c'est l'église Saint-Martin. » ?
Qu'est-ce que ça veut dire ?
→ C'est Romain. Il montre l'église à Clément
et explique ce que c'est.

1. « Quoi ! Il n'y a pas de boîte ? »
2. « Bon, un cinéma alors ? »
3. « Ouais, d'accord… Génial. »
4. « Dis, j'aimerais passer à la banque. »

À vous de jouer

19 Rejouez les scènes. 🔊 69 a-b

Exprimer un accord ou des réserves

❶ A : – Il est sympathique, ce café. Et ton quartier aussi !
B : – Oui, en plus, il est pratique.

❷ A : – Quoi ? Il n'y a de boîte ? Bon, un cinéma, alors ?
B : – Non plus, mais il y a une pizzeria très sympa sur la
place. En plus, elle est tout près d'ici.
A : – Ouais, d'accord… Génial.

20 En situation.

**1. Dessinez un plan de votre quartier et indiquez les
noms (gare, poste, restaurants, parc...).**

Aidez-vous de https://maps.google.com/

2. Posez des questions à votre voisin sur son quartier.

Leçon 8 • Environnement

Aidez-vous des tableaux de conjugaison en pages annexes.

Communiquer

1 **Regardez le plan (page 87) et répondez aux questions.**

> Exemple :
– Où se trouve le supermarché Monoprix ?
→ Il se trouve dans la rue Pasteur, en face des Galeries Lafayette.

1. Où est située la poste ?
   → ....

2. Où se trouve la Banque de France ?
   → ....

3. Où est situé le cinéma Gaumont ?
   → ....

4. Où se trouve le commissariat ?
   → ....

5. Où est située la mairie ?
   → ....

2 **Regardez le plan (page 87) et indiquez à quelle phrase correspondent les lieux.**

Attention :
le premi**er**/la premi**ère**, le/la deuxi**ème**,
le/la troisi**ème**, le/la quatri**ème**, le/la cinqui**ème**.

1. Il se trouve à droite de la poste.
2. Elle est située en face de la mairie.
3. Il se trouve derrière le restaurant.
4. Il est situé en face de la gare.
5. Il est derrière le cinéma.
6. Elle est sur la place, en face de l'église.

La mairie : *c'est la sixième phrase.*
Le parc municipal : c'est ....
Le commissariat de police : c'est ....
L'hôtel : c'est ....
L'église : c'est ....
Le parking : c'est ....

3 **Barrez le « e » non prononcé et classez les mots selon leur nombre de syllabes.**

Exemple :
(une) place → 1 syllabe

(une) mairie – (une) poste – (une) église – (une) école – (une) boulangerie – (une) boucherie – (une) pharmacie – (une) gare

Une syllabe	Deux syllabes	Trois syllabes
une place	....	....
....	....	....
....	....	....

Lire

4 **Lisez ce document et répondez aux questions.**

La ville française

Traditionnellement, le centre-ville est le cœur de la ville française. C'est le centre politique et culturel. Dans le centre, on trouve en général : la mairie, la place, une église, des écoles, le commissariat de police, des services et beaucoup de commerces.

Habiter dans le centre-ville est généralement très agréable, mais les maisons sont anciennes et chères. En plus, il est difficile de circuler en voiture.

Ainsi, beaucoup de Français préfèrent vivre en banlieue, dans des maisons individuelles ou des immeubles. La vie est moins chère et plus pratique : il y a beaucoup de transports publics (bus, trains, ...) pour aller travailler en ville, mais aussi des centres commerciaux, des cinémas et des lieux de distraction.

Aujourd'hui, avec le TGV[1], il est possible de travailler en ville et d'habiter dans une grande maison à la campagne.

1. Train à Grande Vitesse

1. Recopiez le titre de chaque partie dans la zone
   a. La vie en banlieue est plus pratique.
   b. Présentation du centre-ville traditionnel.
   c. On peut travailler en ville et vivre en banlieue.
   d. Habiter dans le centre-ville est difficile.

2. Répondez aux questions.
   a. Qu'est-ce qu'il y a dans le centre-ville traditionnel français ?
      → ....
   b. À votre avis, qu'est-ce qu'il y a comme services dans le centre-ville ?
      → ....
   c. Pourquoi est-ce que ce n'est pas facile d'habiter dans le centre-ville ?
      → ....
   d. Pourquoi beaucoup de Français préfèrent habiter en banlieue ?
      → ....
   e. Est-ce qu'on peut habiter très loin de son travail en France ?
      → ....

Écrire

5 Écoutez et écrivez. 🔊 70

....
....
....
....
....
....
....
....
....
....

6 Sur le modèle de l'exercice 4, écrivez une présentation de la ville dans votre pays (ou présentez votre ville). Présentez d'abord le centre-ville, expliquez comment est la vie, puis parlez de la banlieue et expliquez ce que les gens préfèrent. Mettez des titres.

Écouter

7 Écoutez et cochez ce que vous entendez. 🔊 71

1. ☐ 3ᵉ étage   ☐ 13ᵉ étage
2. ☐ 6ᵉ jour   ☐ 16ᵉ jour
3. ☐ 4ᵉ anniversaire ☐ 14ᵉ anniversaire
4. ☐ 2ᵉ arrondissement ☐ 12ᵉ arrondissement
5. ☐ 5ᵉ élément   ☐ 15ᵉ élément

8 Écoutez et répondez aux questions. 🔊 72

Situation 1

1. Qui téléphone ? ....
2. Où est-ce qu'il se trouve ? ....
3. Où est l'appartement de Nathalie ? ....
4. À quel étage est-ce qu'elle habite ? ....
5. Quel est le numéro de son appartement ? ....

Situation 2

1. Qui téléphone ? ....
2. Où est-ce qu'elle est ? ....
3. Où est l'agence de voyages ? ....
4. Qu'est-ce qu'il y a à côté de l'agence ? ....
5. À quel numéro est-ce qu'elle se trouve ? ....

1. Mairie
2. Église Saint-Martin
3. Commissariat
4. Poste
5. Banque de France
6. Cinéma Gaumont
7. Parc municipal
8. Supermarché Monoprix
9. Galeries Lafayette
10. Gare centrale
11. Restaurant
12. Agence de voyages
13. Chez Nathalie
14. Restaurant
15. Café

Comment dit-on dans votre langue ?

« Tu es en retard, tu sais. » : ....

« À tout de suite ! » : ....

Leçon 9 • Visites

S'échauffer

1 **(1) Répétez après votre professeur. (2) Écoutez l'enregistrement et cochez ce que vous entendez.** 👥👥 🔊 73

1. ☐ a. Au revoir ! [ɔʁəvwaʁ]
   ☐ b. Au r'voir ! [ɔʁvwaʁ]

2. ☐ a. Il y a une boulangerie ? [iljaynbulɑ̃ʒəʁi]
   ☐ b. 'Y a une boulang'rie ? [jaynbulɑ̃ʒʁi]

3. ☐ a. Je suis fatiguée ! [ʒəsɥifatige]
   ☐ b. J'suis fatiguée ! [ʃɥifatige]

4. ☐ a. Je me présente : je m'appelle Henri. [ʒəməpʁezɑ̃tʒəmapɛlɑ̃ʁi]
   ☐ b. J'me présente : j'm'appelle Henri. [ʒməpʁezɑ̃tʒmapɛlɑ̃ʁi]

5. ☐ a. Ce week-end, je vais dans le Nord. [səwikendʒəvɛdɑ̃lənɔʁ]
   ☐ b. C'week-end, j'vais dans l'Nord. [swikendʒvɛdɑ̃lnɔʁ]

Échanger

2 **(1) Répondez au professeur. (2) Puis, interrogez-vous avec le vocabulaire.** 👥👥

> Exemple :
– D'où est-ce que vous venez ? / Tu viens d'où ?
– Quelles activités est-ce qu'on peut faire dans votre quartier (ton quartier) ?
– Quelles sont les spécialités de votre région (ta région) ?

faire du tourisme

visiter des musées

un monument historique

faire une promenade

faire du ski

manger une spécialité régionale

faire du bateau

faire du surf, de la plongée

aller à la plage

nager

le chocolat

le fromage

la bière

le vin (rouge, blanc)

le cidre

(les) fruits de mer

le poisson

le bœuf

le riz

les frites

3 **Écoutez et imitez.** 👥👥 🔊 74

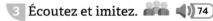

Alors, Emma, d'où est-ce que vous venez ?

Je viens de Bruxelles.

Tiens ? Et qu'est-ce qu'il y a à voir dans votre ville ?

Eh bien, il y a une belle place, la Grand-Place. Vous connaissez ?

Oui, de nom. Et quelles sont les spécialités régionales ?

Euh… c'est le chocolat, la bière et les frites.

Tu viens d'où, Manon ?

Je viens de Blois.

Ah bon ? Il y a quoi dans ta région ?

Ben, il y a des châteaux, les châteaux de la Loire. Tu connais ?

Oui, oui. Et on peut faire quelles activités ?

Euh… on peut faire du tourisme et des promenades à vélo.

À vous de jouer

4 Interrogez-vous à partir des images. 👥 🖼 26-28

> Exemple :

– Elle vient d'où ? Qu'est-ce qu'il y a dans sa région ?
– Quelles sont les spécialités régionales ?
– Et on peut faire quelles activités ?

Blois

St-Malo

Carnac

Lille

1

2

5 Jouez les scènes. 👥

S'échauffer

6 (1) Écoutez, (2) comptez le nombre de syllabes, (3) puis lisez à voix haute. 🔊 75

L'enchaînement et la chute du « e »

> Exemple :
J'aime / me /pro/me/ner / le /same/di.
> 8 syllabes

1. Il y a une belle vue.
2. Vous venez du Languedoc ?
3. Il y a une promenade magnifique.
4. C'est une église très ancienne.
5. La statue de la princesse est derrière.

Lire

7 Repérez puis répondez.

> Exemple :
A : – Quel est le nom de cette ville ?
B : – Elle s'appelle Carcassonne.

1. Où est-ce qu'elle se trouve en France ?
2. C'est une ville moderne ou une ville ancienne ?
3. Est-ce qu'il y a un parking dans la ville ?

8 Lisez puis répondez.

> Exemple :
A : – Qu'est-ce qu'on peut découvrir à Carcassonne ?
B : – On peut découvrir l'histoire de la ville.

1. Comment s'appelle la spécialité régionale ?
2. Qui est Dame Carcas ?
3. Qu'est-ce qu'on peut faire sur les remparts ?
4. Qu'est-ce qu'on peut faire dans la basilique ?

9 Associez les lieux avec les numéros sur le plan.

1. L'hôtel du Donjon → n° ...
2. La basilique Saint-Nazaire → n° ...
3. Les remparts → n° ...
4. La statue de Dame Carcas → n° ...
5. Le parking → n° ...

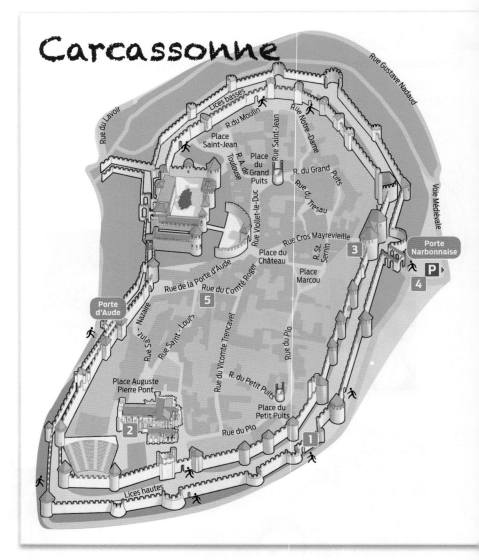

Carcassonne

Écrire

10 (1) Lisez, (2) recopiez, puis (3) comparez avec votre voisin.

Carcassonne est une ville du sud-ouest de la France. On peut visiter ses sites historiques, manger la spécialité locale, le cassoulet, ou se promener sur ses remparts du XIIe siècle.

Dictée

11 (1) Écoutez et (2) écrivez. 🔊 76

La Camargue

Office de tourisme de Camargue
5 Av. Van Gogh - BP 16
13460 Les Saintes-Maries-de-la-Mer
Tél. : 04 90 97 82 55
mél. : info@saintesmaries.com

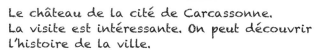

Le château de la cité de Carcassonne. La visite est intéressante. On peut découvrir l'histoire de la ville.

Les remparts. C'est parfait pour faire une promenade à deux. ♡

L'hôtel du Donjon, rue du Comté Roger. Les chambres sont magnifiques et le déjeuner au restaurant n'est pas cher. La spécialité locale, c'est le cassoulet : il est excellent !

Derrière la porte Narbonnaise, on peut voir une statue de Dame Carcas, la princesse de la cité. Le nom Carcassonne vient de cette princesse.

☆ ☆ ☆

Le parking est à l'extérieur de la ville. Accès interdit de 9h00 à 19h00. Pas très pratique.

La basilique Saint-Nazaire. En été, on peut écouter de la musique religieuse. Pas mal.

Rédiger

12 (1) Choisissez une ville ou une région et (2) discutez de ce qu'il y a à voir ou de ses spécialités, (3) puis écrivez un texte de présentation. (4) Lisez votre texte à votre groupe.

- Qui ?
- Où ?
- Quels sites ?

- Quelles spécialités locales ?
- Quelles activités ?

La région préférée de Victor, c'est la Normandie. Cette région est située dans le nord-ouest de la France.
En Normandie, on peut visiter le mont Saint-Michel. C'est un site magnifique. On peut aussi aller à Deauville. C'est une ville près de la mer, avec de jolies maisons et un festival de cinéma ! Enfin, à Rouen, il y a aussi le musée de Jeanne d'Arc. C'est très intéressant.
Comme spécialités de la région, il y a le cidre, le calvados et le camembert. Il y a aussi les fruits de mer.
On peut faire des promenades à cheval sur la plage, faire du bateau ou encore du kitesurf.

La nominalisation

13 Complétez avec le verbe ou le nom qui correspond, puis vérifiez.

> Exemple :

Une arrivée → Vous arrivez dans la vieille ville par l'entrée principale.

1. Une vue → Vous .... toute la ville depuis les remparts.

2. Une visite → Vous pouvez .... le château comtal de la cité de Carcassonne.

3. Un .... → Vous déjeunez à l'hôtel du Donjon.

4. Une .... → Les remparts, c'est parfait pour se promener.

5. Un .... → Vous pouvez accéder à la vieille ville de 9 h 00 à 19 h 00.

> **Règle n° 26**

• **La nominalisation** = *transformer un verbe en nom*

visiter le château → la visite du château
voir la ville → la vue de la ville
déjeuner → le déjeuner

✋ Attention : la nominalisation n'est pas toujours possible.

Quoi et *qu'est-ce que*

> Observez :

A : – Excusez-moi, qu'est-ce qu'on peut faire à Carcassonne ? Qu'est-ce qu'il y a ?

B : – Pardon ? Vous pouvez répéter ?

A : – Oui, on peut faire quoi à Carcassonne ? Il y a quoi ?

14 Interrogez-vous avec « quoi ».

> Exemple :

voir / derrière la porte Narbonnaise ?

A : – On peut voir quoi derrière la porte Narbonnaise ?

B : – On peut voir une statue de Dame Carcas.

1. découvrir / dans le château de la cité ?
2. manger / à l'hôtel du Donjon ?
3. écouter / dans la basilique Saint-Nazaire ?
4. faire / sur les remparts ?

> **Règle n° 27**

• **L'interrogation avec *qu'est-ce que* et *quoi***

	En début de phrase	Après le verbe
Il y a ❓ à la télé	**Qu'est-ce qu'**il y a à la télé ?	Il y a **quoi** à la télé ?
Tu aimes faire ❓	**Qu'est-ce que** tu aimes faire ?	Tu aimes faire **quoi** ?
Tu voudrais voir ❓	**Qu'est-ce que** tu voudrais voir ?	Tu voudrais voir **quoi** ?

La préposition *de* + un nom

> Exemple :

A : – Le château est à côté ?

B : – Oui, c'est à côté du château.

A : – La place est à côté ?

B : – Oui, c'est à côté de la place.

A : – L'hôtel est à côté ?

B : – Oui, c'est à côté de l'hôtel.

A : – Les montagnes sont à côté ?

B : – Oui, c'est à côté des montagnes.

15 Interrogez-vous à l'écrit, comme dans l'exemple.

> Exemple :

A : – Quelle statue est-ce qu'on peut voir ? (Dame Carcas)

B : – On peut voir la statue de Dame Carcas.

1. Où est-ce qu'on peut acheter des souvenirs ? (à côté / l'hôtel Mercure)

2. Où est le parking ? (la place / le Château)

3. Tu voudrais prendre une photo de quoi ? (une photo / les montagnes)

4. Quels plats est-ce qu'on peut manger dans ce restaurant ? (des plats / la région)

> **Règle n° 28**

• ***de* + un nom**

Singulier		
+ nom propre	de + ∅ = **de** Ex. : (*le château + de + Carcassonne*) → Le château de Carcassonne est beau.	
+ nom masculin	de + le = **du** Ex. : (*la place + de + le château*) → La place du château est jolie.	
+ nom féminin	de + la = **de la** Ex. : (*la visite + de + la ville*) → Je voudrais faire la visite de la ville.	
+ nom avec : a, e, i, o, u, h	de + l'... = **de l'**... Ex. : (*à côté + de + l' église*) → Le parking est à côté de l'église.	
Pluriel		
+ nom pluriel	de + les = **des** Ex. : (*l'entrée + de + les musées*) → En général, l'entrée des musées est un peu chère.	

S'échauffer

16 (1) Prononcez les mots, (2) entourez les [E], [Œ] et [u] puis (3) écrivez les mots dans les colonnes correspondantes.

Messieurs – peux – ~~vous~~ – aider – renseignement – ~~cherche~~ – cathédrale – centre-ville – tout – près – région – visiter– couvent – choucroute – route – remercie – euh

Mots avec le son [E]	Mots avec le son [Œ]	Mots avec le son [u]
cherche		vous

Repérer

17 (1) Regardez la vidéo et (2) interrogez votre voisin. ▶ 4

Qu'est-ce qu'il y a à faire ?

1. Reliez les réponses et vérifiez avec votre voisin.

> Exemple :
A : – Qui veut visiter la cathédrale Notre-Dame ?
B : – C'est la touriste.
A : – La cathédrale Notre-Dame, où est-ce qu'elle est ?
B : – Elle est dans le centre-ville, près de l'office de tourisme.

Qui ?	Quoi ?	Où ?
Le touriste •	• La cathédrale Notre-Dame •	• Près d'Obernai
	• Le château du Haut-Koenigsbourg •	• Vers Colmar
	• Le mont Sainte-Odile •	• Dans le centre-ville, près de l'office de tourisme
La touriste •	• La route des vins d'Alsace •	• À côté de la gare
	• L'hôtel du Lion •	• Dans la région

2. Complétez le tableau.

Strasbourg et sa région
• à voir / à visiter : ....
• à faire : ....
• spécialités régionales : ....

18 Qui le dit ? Qu'est-ce que ça veut dire ? ▶ 4

> Exemple :
Qui dit « C'est pour un renseignement » ? Qu'est-ce que ça veut dire ? → C'est le touriste. Il voudrait des informations.

1. « Très intéressant ! »   **3.** « Je vous remercie beaucoup, madame. »

2. « Hum ! Pas mal. »   **4.** « C'est parfait ! »

À vous de jouer

19 Rejouez les scènes. ▶ 4a

Exprimer son intérêt et sa satisfaction

A : – Et dans la région, qu'est-ce qu'il y a à faire ?
B : – Eh bien, il y a le château du Haut-Koenigsbourg, bien sûr. Et il y a le couvent du mont Sainte-Odile, près d'Obernai.
A : – Très intéressant !

20 En situation.

À l'office de tourisme.

Vous interrogez un agent d'accueil et vous vous renseignez sur la région, ses sites touristiques, les spécialités gastronomiques régionales et les activités possibles. Notez les informations.

Leçon 9 • Visites

Communiquer

1 Répondez aux questions comme dans l'exemple.

> Exemple :
– La paëlla, d'où est-ce que ça vient ?
→ Ça vient d'Espagne, c'est une spécialité espagnole.

 Attention

ça vient du + pays masculin / **ça vient de** + pays féminin
ça vient d' + une voyelle / **ça vient des** + pluriel.

1. La pizza, d'où est-ce que ça vient ?
   → ....

2. La fondue savoyarde, ça vient d'où ?
   → ....

3. Les sushis, d'où est-ce que ça vient ?
   → ....

4. La quiche lorraine, ça vient d'où ?
   → ....

5. Le poulet tandoori, d'où est-ce que ça vient ?
   → ....

2 Répondez aux questions comme dans l'exemple
(plusieurs réponses sont possibles).

> Exemple :
Qu'est-ce qu'il y a à voir à Pise ? → Il y a une tour, la tour de Pise.

1. Qu'est-ce qu'il y a à voir à Paris ?
   → ....

2. Qu'est-ce qu'il y a à voir à Chambord ?
   → ....

3. Qu'est-ce qu'il y a à voir à Londres ?
   → ....

4. Qu'est-ce qu'il y a à voir à Moscou ?
   → ....

5. Qu'est-ce qu'il y a à voir à Sydney ?
   → ....

3 Classez les mots selon leur prononciation et
soulignez la partie du mot correspondante.

habiter – faire – visiter – musée – aller – nager – plongée
spécialité – bière – mer – manger

[E]	[Eʁ]
habit<u>er</u> –	....

Lire

4 Lisez ce document et répondez aux questions.

Tourisme dans la région Bourgogne

• Patrimoine
Située dans l'est de la France, la région possède
de nombreux sites touristiques. Venez à Dijon, la
capitale de la région, pour visiter le Palais des Ducs
de Bourgogne. À 45 kilomètres de Dijon, les hospices
de Beaune, aujourd'hui musée réputé, attendent les
touristes. Un peu plus loin, les amateurs d'histoire
ancienne peuvent apprécier le Muséo Parc Alésia.
Enfin, à 15 kilomètres de là se trouve Semur-en-Auxois,
un magnifique village médiéval.

• Gastronomie
La Bourgogne est une région riche en spécialités
gastronomiques, comme les escargots ou le bœuf
bourguignon. L'Époisses, un fromage local, est aussi
très apprécié. Enfin, qui ne connaît pas la moutarde
de Dijon ?

• Vins
Le vin de Bourgogne est aussi une des spécialités de
la région. Le Chablis, le Gevrey-Chambertin ou encore
le Beaujolais sont des vins très appréciés. Les touristes
peuvent visiter les nombreuses caves sur la route
des vins.

• Activités
La région possède beaucoup de parcs naturels
pour les amateurs de promenades. On peut aussi
faire des promenades à vélo sur la route des vins
ou encore faire du bateau ou du canoë sur les
nombreuses rivières.

1. Comment s'appelle la région ?
   → ....

2. Où est-ce qu'elle se trouve ?
   → ....

3. Quelles villes de la région sont citées dans le document ?
   → ....

4. Quels sont les sites historiques de la région ?
   → ....

5. Quelles sont les spécialités gastronomiques ?
   → ....

6. Qu'est-ce qu'on peut faire comme activités ?
   → ....

7. Et vous, qu'est-ce que vous aimeriez faire en premier ?
   → ....

Écrire

5 Écoutez et écrivez. 🔊 77

....
....
....
....
....
....
....
....
....
....

6 Sur le modèle de l'exercice 4, écrivez la présentation de votre région.

● ● ● ●

Tourisme dans la région ....

....
....
....
....
....
....
....
....
....
....

Écouter

7 Écoutez et cochez ce que vous entendez. 🔊 78

	[s]	[z]	[ʃ]
1. [ʁy_]	☐ russe	☐ ruse	☐ ruche
2. [by_]	☐ bus	☐ buse	☐ bûche
3. [_o]	☐ saut	☐ zoo	☐ chaud
4. [_ɑ̃]	☐ sang	☐ zan	☐ chant
5. [lE_E]	☐ laissé	☐ lésé	☐ léché

8 Écoutez et répondez aux questions. 🔊 79

1. Remplissez la fiche.

Nom : ....
Prénom : ....
Âge : ....
Nationalité : ....
Région / ville d'origine : ....

2. Comment est Toulouse ?
....

3. Quelles sont les entreprises présentes dans la région ?
....

4. Quels sont les sites touristiques ?
....

5. Quelles sont les spécialités régionales ?
....

Comment dit-on dans votre langue ?

« deux mots sur ma région » : ....

« Voilà, c'est tout ! » : ....

Une destination idéale pour un(e) ami(e) de la classe

Trouvez des destinations de vacances pour la classe !

01 Interrogez votre voisin(e) sur sa région touristique préférée et remplissez le Document 1.

02 Changez de partenaire. Faites un bilan sur les régions préférées de vos voisins et remplissez les fiches (Document 2).

03 Dans votre groupe, dites quelle région vous voudriez visiter en premier, en deuxième et en troisième (Document 3).

04 Dites à la classe quelle est la région préférée de votre groupe et expliquez pourquoi.

05 Présentez sur Internet les régions préférées de la classe.

Document 1 : Exemple

- **Prénom :** Lola
- **Région préférée :** la Touraine
- **Villes :** Tours, Blois
- **Sites célèbres et visites culturelles :**
Le château de Chambord, le château de Chenonceau
À Tours : la cathédrale Saint-Gatien, la place Plumereau, le vieux Tours
À Blois : le centre-ville, le château, la cathédrale Saint-Louis
- **Spécialités régionales :**
le fromage de chèvre, le vin de Touraine

Document 1

- **Prénom :** ....
- **Région préférée :** ....
- **Villes :** ....
- **Sites célèbres et visites culturelles :**
....
....
....
....
....
- **Spécialités régionales :**
....

Document 2

- **Prénom :** ....
- **Région sélectionnée :** ....
- **Villes :** ....
- **Sites célèbres et visites culturelles :**
....
....
....
....
....
....
- **Spécialités régionales :**
....

Document 3

Nos régions préférées

1. ....
2. ....
3. ....

Partie 1

Compréhension de l'oral

10 min environ / 25 points

Pour répondre aux questions, cochez (✓) la bonne réponse, ou écrivez l'information demandée.

Exercice 1

15 points

Regardez les images. Vous allez entendre 5 messages. Associez chaque situation à une image.

Exemple :
Vous entendez : "Message 1 - Salut Eliot. Tu connais Carcassonne, n'est-ce pas ? Où est-ce qu'on peut manger un bon cassoulet ? – Ah ! Tu peux aller à l'hôtel du Donjon. C'est très bon et ce n'est pas cher. »
La bonne réponse est l'image A.

Image A	Image B	Image C

Message n° 1	Message n°	Message n° ....

Image D	Image E	Image F
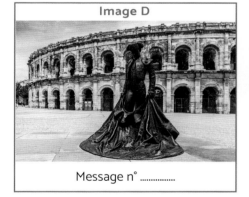		
Message n°	Message n°	Message n° ....

Exercice 2

10 points

Vous allez entendre 2 fois un document. Vous aurez 30 secondes de pause entre les 2 écoutes puis 30 secondes pour vérifier vos réponses. Lisez d'abord les questions.

Vous avez un message téléphonique. Répondez aux questions.

1. Où habite Romain ? *(2 éléments)* ....   2 points

   ....

2. Qu'est-ce qu'il y a dans le quartier de Romain ? *(2 éléments)* ....   4 points

   ....

3. Qu'est-ce que Romain aimerait faire après le dîner ? ....   4 points

   ....

Compréhension des écrits

15 min / 25 points

Pour répondre aux questions, cochez (✓) la bonne réponse, ou écrivez l'information demandée.

Exercice 1
10 points

Regardez ce document et répondez aux questions.

Vous aimez le calme et la nature ?

Visitez la beauté pure à L'Anse-Saint-Jean !

La ville de l'Anse-Saint-Jean vous invite à découvrir ses deux parcs nationaux : le parc national du Fjord-du-Saguenay et le parc marin du Saguenay-Saint-Laurent.

Vous aimez le sport ?
• En hiver, faites du ski ou des promenades en raquettes !
• En été, sur le fjord du Saguenay, vous pouvez nager, faire du bateau ou du kayak.

Et pour les gourmands, ne manquez pas nos spécialités régionales : le fameux pâté chinois et les crêpes au sirop d'érable !
On vous attend dans notre belle région québécoise !

POUR PRENDRE CONTACT : f ou par mail : info@lanse-saint-jean.ca

1. Où se trouve l'Anse-Saint-Jean ? .... 2 points
2. Dans la région, il y a : ☐ un parc national   ☐ un parc d'attraction   ☐ un musée
3. Quelles activités est-ce qu'on peut faire dans cette région ? .... 2 points
4. Quelles sont les spécialités locales ? .... 2 points
5. Comment est-ce qu'on peut contacter l'office   2 points
   de tourisme de l'Anse-Saint-Jean ? .... 2 points

Exercice 2
15 points

Vous recevez le mail suivant. Lisez puis répondez aux questions.

De : Jean Fournier <jfournier-immo@gmail.com>
Objet : RE : Appartement à louer

Madame, Monsieur,

C'est bon pour visiter l'appartement ce week-end.
Il a deux pièces : un séjour avec un salon et une grande chambre.
Il est moderne et aussi très pratique : il est situé près du centre-ville, à deux minutes de la place. Le quartier est très agréable et il y a beaucoup de boutiques.
L'appartement est très calme : il est au 5e étage (avec ascenseur).

Rendez-vous à l'agence ce samedi à 14 h ?
Cordialement,

Jean Fournier
Agent immobilier

1. Qui écrit ?   2 points
   ....

2. Qu'est-ce que vous pouvez faire ce week-end ?   3 points
   ....

3. Il y a combien de pièces ?   2 points
   ....

4. Quelles pièces est-ce qu'il y a ?   2 points
   ....

5. L'appartement est... *(3 réponses)*   6 points
   ☐ loin du centre-ville.   ☐ près de la place.
   ☐ près des commerces.   ☐ bruyant.
   ☐ pratique.   ☐ ancien.

Partie 3 — Production écrite

15 min /25 points

Exercice 1 — 10 points

Vous décrivez votre logement (maison ou appartement) pour le louer sur Airbnb.
Vous complétez ce formulaire sur Internet.

DESCRIPTION DU LOGEMENT *(décrivez votre logement)*

Type de logement : ....

Nombre de personnes maximum : ....

Nombre de pièces : ....

Pièces : ....

SITUATION *(décrivez votre quartier)*

....

....

....

PRIX : ....

VALIDER

Exercice 2 — 15 points

Vous êtes en vacances. Vous écrivez à votre ami francophone. Décrivez la ville, les activités, les sites touristiques et les spécialités locales. Donnez votre sentiment (20 mots minimum).

De : ....

Objet : ....

..............................,

....

....

....

....

....

Partie 4 — Production orale

5 à 7 min, préparation : 10 min / 25 points

L'épreuve se déroule en trois parties : un entretien dirigé, un échange d'informations et un dialogue simulé (ou jeu de rôle). Elle dure de 5 à 7 minutes. Vous disposez de 10 minutes de préparation pour les parties 2 et 3.

Entretien dirigé (1 minute environ) — 8 points

Interrogez-vous à tour de rôle.

- Quelles villes françaises est-ce que vous connaissez ? / Tu connais quelles villes françaises ?
- Qu'est-ce qu'il y a dans votre quartier ? / Il y a quoi dans ton quartier ?
- Où est votre maison/appartement ? / Ta maison/Ton appartement est où ?
- Qu'est-ce qu'est-ce qu'il y a à voir dans votre ville ? / Il y a quoi à voir dans ta ville ?

Échange d'informations (2 minutes environ) — 8 points

À partir des cartes sur lesquelles figurent des mots, vous posez 4 questions à votre voisin.

Exemple : Gare → « Excusez-moi, je cherche la gare. Vous pouvez m'aider s'il vous plaît ? »

Gare ?	Chanson ?	Musée ?
Hôtel de ville ?	Pharmacie ?	Maison ?
Office de tourisme ?	Université ?	Métro ?

Dialogue simulé (ou jeu de rôle) (2 minutes environ) — 9 points

Vous allez simuler une situation. → *Votre ami français téléphone. Il voudrait passer des vacances dans votre ville. Présentez-lui votre ville et donnez-lui des conseils sur les endroits à visiter, sur les spécialités et sur les activités à faire.*

UNITÉ 4
Rendez-vous

Les audios, les vidéos et les images complémentaires sont disponibles sur l'**Espace digital** : interactions.cle-international.com.

Leçon 10 • Activités
Leçon 11 • Rythmes
Leçon 12 • Sorties

Projet : Fête de la classe
DELF

S'échauffer

1 (1) Répétez après votre professeur. (2) Écoutez l'enregistrement et cochez ce que vous entendez. 👥👥 🔊 82

1. C'est bientôt le week-end !
   - ☐ a. (6 syllabes) /sɛ.bjɛ̃.to.lə.wi.kɛnd/
   - ☐ b. (5 syllabes) /sɛ.bjɛ̃.tol.wi.kɛnd/

2. Je regarde la télé ce soir.
   - ☐ a. (9 syllabes) /ʒə.ʁə.gaʁ.də.la.te.le.sə.swaʁ/
   - ☐ b. (6 syllabes) /ʒʁə.gaʁd.la.te.le.sswaʁ/

3. D'abord, le samedi, je fais le ménage.
   - ☐ a. (11 syllabes) /da.bɔʁ.lə.sa.mə.di.ʒə.fɛ.lə.me.naʒ/
   - ☐ b. (7 syllabes) /da.bɔʁ.lsa.mdi.ʃfɛl.me.naʒ/

4. Moi ? Non, je ne peux pas demain.
   - ☐ a. (8 syllabes) /mwa.nɔ̃.ʒə.nə.pø.pa.də.mɛ̃/
   - ☐ b. (5 syllabes) /mwa.nɔ̃.ʃpø.pa.dmɛ̃/

Échanger

2 (1) Répondez au professeur. (2) Puis, interrogez-vous avec le vocabulaire. 👥

> **Exemple :**
– Qu'est-ce que vous faites le dimanche en général ?
– Tu fais quoi samedi soir ?

Je ne peux pas sortir

Je suis libre / disponible

faire des courses

faire le ménage

faire la cuisine

faire du bricolage

la piscine

la mer

la montagne

la campagne

le marché

un concert

prendre des vacances

lundi	mardi	mercredi	jeudi	vendredi	samedi	dimanche
					ce week-end	

nuit de 21 h à 6 h	matin de 6 h à 12 h	le midi, ce midi de 12 h à 13 h	après-midi de 13 h à 18 h	soir de 18 h à 21 h

3 Écoutez et imitez.  83

> Qu'est-ce que vous faites le mercredi après-midi ? Vous êtes libre ?

> Le mercredi, non, je ne suis pas libre. Je travaille et après, je fais des courses.

> Le jeudi matin alors ?

> Oui, le jeudi matin, c'est possible.

> Tu fais quoi ce week-end ? Tu sors samedi soir ?

> Samedi soir ? Non, je ne peux pas : dimanche matin, je vais à la piscine.

> Bon, on regarde un film dimanche après-midi ?

> Bonne idée !

À vous de jouer

4 Interrogez-vous à partir des images. 29-31

> Exemple :

A : – Qu'est-ce qu'elle fait, en général, le samedi soir ?
B : – En général, le samedi soir, elle ne sort pas ; elle reste à la maison et elle lit un livre.
A : – Et toi, en général, tu fais quoi le samedi soir ?
B : – Moi, en général, je...

samedi soir

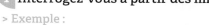

le dimanche matin

le samedi après-midi

5 Jouez les scènes.

> Vendredi soir ?

> Samedi soir ?

> Voir des amies

> Rester à la maison + regarder la TV

> Jeudi soir ?

> Vendredi soir ?

> Non

> OK

> OK

Leçon 10 • Activités

S'échauffer

6 Écoutez, faites comme dans l'exemple, puis lisez à voix haute. ◀)) 84

Enchaînement et lettres non prononcées

> Exemple :
J'ai / trop de / tra/vail/, a/lors / je ne / peux / pas / prendre / de / con/gés.

1. J'ai des congés.
2. Je prends des congés.
3. Je peux prendre des congés.
4. Je ne peux pas prendre de congés.
5. Je travaille, alors je ne peux pas prendre de congés.

Lire

7 Repérez puis répondez.

> Exemple :
A : – C'est quel genre de texte ?
B : – C'est un article.

1. C'est un article sur quoi ?
2. Qui sont les personnes interviewées ?
3. Quelle est leur profession ?
4. Quel est leur âge ?

8 Lisez puis répondez.

> Exemple :
A : – Qu'est-ce que Laëtitia fait le samedi ?
B : – Le samedi soir, elle va en boîte de nuit ou au café avec ses amies.

1. Que font Kévin et sa femme le dimanche matin ?
2. Quand vont-ils à la mer ?
3. Qu'est-ce que Laëtitia fait le vendredi ? Pourquoi ?
4. Est-ce que Laurent peut prendre des congés le vendredi ? Pourquoi ?
5. Que fait-il le week-end généralement ?

9 Ensemble, trouvez les informations.

	Activités culturelles	Activités sportives	Autres loisirs
Kévin et sa famille			
Laëtitia et ses amies			
Laurent et son amie		.	

" QUAND LES FRANÇAIS NE SONT PAS

KÉVIN

Kévin, ouvrier (40 ans)
Moi, en général, le dimanche, je fais du bricolage ou du jardinage. Ma femme, elle, va au marché le matin, et l'après-midi, on fait le ménage et on regarde la télévision. Les enfants, eux, vont souvent à la piscine. Et de temps en temps, nous allons tous ensemble passer le week-end à la mer.

Écrire

10 (1) Lisez, (2) recopiez puis (3) comparez avec votre voisin.

En France, on travaille 35 heures par semaine et donc beaucoup de Français ont plus de temps libre. Mais attention, ils n'ont pas moins de travail !

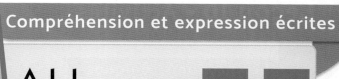

AU TRAVAIL "

Laëtitia, secrétaire (26 ans)

Généralement, le vendredi après-midi, je vais dans le centre-ville et je fais les boutiques. C'est bien, parce qu'il y a moins de monde.
Le samedi soir, mes amies et moi, nous allons au café ou en boîte de nuit et le dimanche, je ne fais rien de spécial.

Laurent, ingénieur (50 ans)

J'aimerais bien **prendre des week-ends de trois jours,** mais je travaille dans une petite entreprise... Le vendredi, je travaille toute la journée et le soir, en général, je vais dîner avec des collègues. Le samedi soir, mon amie et moi, nous sortons au théâtre ou nous allons à un concert. Et le dimanche, nous faisons une promenade à la campagne ou nous regardons un film.

Dictée

11 (1) Écoutez et (2) écrivez. 👥🔊 85

Envoyer Discussion Joindre Adresses Polices Couleurs Enr. brouillon	
À :	
Objet : Salut Laëtitia !	
De :	

Rédiger

12 Interrogez votre voisin sur son emploi du temps et décrivez son week-end. 👥

	le vendredi	le samedi	le dimanche
Exemple	Mon voisin va à l'université.	Il reste à la maison et il surfe sur Internet.	Il voit des amis et il fait du football.
• matin			
• après-midi			
• soir			

Leçon 10 • Activités

Grammair

Les pronoms toniques

> Observez :
– <u>Moi</u>, j'aime le champagne ! Et <u>toi</u>, tu aimes ça ?
– <u>Lui</u>, il n'aime pas beaucoup la grammaire. Mais <u>elle</u>, elle adore ça.
– Oh ! Vous faites du bricolage, <u>vous</u> ? <u>Nous</u> aussi, nous aimons ça.
– <u>Elles</u>, elles adorent le classique, mais <u>eux</u>, ils préfèrent le rock.

13 **Faites comme dans l'exemple.**

> **Exemple :**
– Je (habiter dans une maison) / mon ami (appartement)
– Moi, j'habite dans une maison, mais mon ami, lui, il habite dans un appartement.

1. Je (aller à la mer) / mes amis (la montagne)
2. Kévin (faire du jardinage) / son ami (le bricolage)
3. Laëtitia (faire les boutiques le vendredi) / ses amies (aller au café)
4. Laurent et sa femme (aller au théâtre) / nous (le cinéma)

<table>
<tr><td colspan="3">Règle n° 29</td></tr>
<tr><td colspan="3">• Pronoms toniques
On utilise les pronoms toniques pour insister sur un nom.</td></tr>
<tr><td></td><td>Pronoms sujets</td><td>Pronoms toniques</td></tr>
<tr><td>Singulier</td><td>je
tu
il/elle</td><td>→ moi
→ toi
→ lui / elle</td></tr>
<tr><td>Pluriel</td><td>nous
vous
ils/elles</td><td>→ nous
→ vous
→ eux / elles</td></tr>
</table>

Les verbes *aller, faire, lire, sortir, voir*

14 **Choisissez le verbe qui convient (*aller, faire, lire, sortir* ou *voir*) et conjuguez-le.**

1. Qu'est-ce qu'ils .... ce week-end ? Ils .... ?
   – Oui, ils .... au cinéma.
2. Tu .... quoi lundi ?
   – Lundi, je .... Je vois des amis ; nous .... au café.
3. En classe, nous .... des activités, nous .... des vidéos et nous .... des textes.
4. À la médiathèque, les personnes .... des livres ou .... des films.
5. Le matin, il ne .... pas : il .... un livre, mais l'après-midi, il .... au parc.

Règle n° 30

• Les verbes du 3ᵉ groupe à deux bases

Lire	[li] : je **li**s, tu **li**s, il/elle **li**t	[liz~] : nous **lis**ons, vous **lis**ez, ils/elles **lis**ent
Sortir	[sɔʁ] : je **sor**s, tu **sor**s, il/elle **sor**t	[sɔʁt~] : nous **sor**tons, vous **sor**tez, ils/elles **sor**tent
Voir	[vwa] : je **voi**s, tu **voi**s, il/elle **voi**t, ils/elles **voi**ent	[vwaj~] : nous **vo**yons, vous **vo**yez

• Les verbes *aller* et *faire* (verbes irréguliers)

Aller	je **v**ais, tu **v**as, il/elle **v**a, nous **all**ons, vous **all**ez, ils/elles **v**ont
Faire	je **fai**s, tu **fai**s, il/elle **fai**t, nous **fai**sons, vous **fai**tes, ils/elles **f**ont

→ Voir tableaux de conjugaison, p. 130

La préposition *à* + un nom

> Observez :
– Tu préfères manger <u>au</u> restaurant ou <u>à la</u> maison ?
– Les touristes adorent aller <u>aux</u> Champs-Élysées.
– Le Docteur Martin travaille <u>à l'</u>hôpital Pasteur.

15 **Dites où ils vont, comme dans l'exemple.**

> **Exemple :**
A : – Les touristes voudraient faire les boutiques à Paris. Ils vont où ?
B : – Ils vont aux Champs-Élysées.

1. Ils aiment faire de la natation.
2. Nous faisons les courses samedi.
3. Elle fait du ski ce week-end.
4. Elles voudraient écouter *Carmen* demain soir.

Règle n° 31

• *à* + un nom

	Singulier	Pluriel
+ nom masculin	à + *le* = **au** Ex. : (*le marché*) → Je vais <u>au</u> marché.	à + *les* = **aux** Ex. : (*les Champs-Élysées*) → On va <u>aux</u> Champs-Élysées ?
+ nom féminin	à + *la* = **à la** Ex. : (*la mer*) → Nous allons <u>à la</u> mer.	
+ nom avec : a, e, i, o, u, h	à + *l'...* = **à l'...** Ex. : (*l'hôtel*) → Vous dormez <u>à l'</u>hôtel ?	

Attention – Devant « ville » → **en** : J'habite <u>en</u> ville.
– **Chez** + une profession → Je vais <u>chez</u> le dentiste.

106 cent six

S'échauffer

16 Prononcez, soulignez le son [E], [Œ], [u], [y] puis écrivez les mots dans les colonnes correspondantes.

tu – eh non – du – vais – faire – loue – voiture – chéri – sur – République – puis – marché – choucroute – bière – peux – déjeune – poulet – excusez – téléphoner

Mots avec le son [E] (= [e] ou [ɛ])	Mots avec le son [Œ] (= [ø], [œ] ou [ə])	Mots avec le son [u]	Mots avec le son [y]
e͟h non			t͟u

Repérer

17 Regardez la vidéo et répondez.  ▶ 5

Tu fais quoi ce week-end ?

1. Remplissez l'agenda de Mélanie.

> Exemple :
A : – Qu'est-ce qu'elle fait vendredi matin ?
B : – Vendredi matin, elle travaille.

cuisine (1) – marché – travail (2) – déjeuner avec la famille – piscine – promenade à vélo – télévision – dîner avec des amis

	le vendredi	le samedi	le dimanche
• matin	travail		
• après-midi		cuisine	
• soir			

2. Répondez et justifiez.

1. Qu'est-ce qu'Éric fait ce week-end ?
2. Qu'est-ce qu'il y a sur la place de la République samedi ?
3. Quelles sont les différences entre Éric et Mélanie ?
4. Pourquoi est-ce que Christophe n'est pas content ?

18 Qui le dit ? Qu'est-ce que ça veut dire ? ▶ 5

> Exemple :
Qui dit « Eh non ! » ? Qu'est-ce que ça veut dire ?
→ C'est Éric. Il dit qu'il ne travaille pas.

1. « Tu ne travailles pas cet après-midi ? »
2. « Pfff... »
3. « Oh... bof. Tu sais, moi, les festivals... »
4. « Excusez-moi. Je peux travailler ? »

À vous de jouer

19 Rejouez les scènes. ▶ 5 a-b

Répondre à la forme négative

1 A : – Et toi, tu fais quoi ce soir ? Tu sors ?
B : – Non. Ce soir je rergarde un film avec mon chéri.

2 A : – Tu sais, samedi, il y a un festival de théâtre sur la place de la République.
B : – Oh ! ... bof. Tu sais, moi, les festivals...

20 En situation.

Activités du week-end

(1) Interrogez vos voisins sur leur agenda et notez ce qu'ils font.
(2) Comparez avec les activités des Français.

	VENDREDI	SAMEDI	DIMANCHE
08:00			
08:30			
09:00			
09:30			
10:00			
10:30			
11:00			
11:30			
12:00			
12:30			
13:00			
13:30			
14:00			
14:30			
15:00			
15:30			
16:00			
16:30			
17:00			
17:30			
18:00			
18:30			
19:00			
19:30			
20:00			

Leçon 10 • Activités

Communiquer

1 **Choisissez le verbe et conjuguez-le à la bonne forme.**

lire – sortir – étudier – rester – voir – faire (x2) – aller (x2) – travailler

1. Le samedi soir, mes amis et moi, nous .... :
   nous .... au cinéma.
2. Pendant les vacances, je .... mes amis et nous
   .... du football.
3. Il .... à l'université du lundi au vendredi et
   le week-end, il .... pour payer ses études.
4. Ce soir, je .... à la maison : je ....
   un livre.
5. Samedi, elles .... dans le centre-ville et
   elles .... les magasins.

2 **Faites une phrase pour dire où vont ces personnes.**

> Exemple :
– Il aime les spécialités régionales. → Il va au restaurant.

1. Nous aimons voir des nouveaux films.
   → Nous ....
2. Ils aiment danser.
   → Ils ....
3. Vous voyez une exposition de peintures demain ?
   → Vous .... ?
4. Elle aime nager.
   → Elle .... ou ....
5. Tu fais du ski ce week-end ?
   → Tu .... ?
6. J'étudie le français.
   → Je ....

3 **Classez les mots selon leur prononciation et soulignez la partie du mot correspondante.**

carte – faire – mer – marché – concert – mardi – mercredi – parc – bière – gare

[aʁ]	[ɛʁ]
ca<u>r</u>te	....
....	....
....	....

Lire

4 **Lisez ce document et répondez aux questions.**

↗ TENDANCES DU WEEK-END

Les Français et les loisirs

Les Français pratiquent des loisirs nombreux et variés, comme regarder la télévision (78 %), lire (77 %) ou écouter de la musique (76 %). Ils pratiquent 10 activités en général. Le sport est leur loisir préféré (24 %), suivi de la lecture (12 %) et du jardinage (8 %). 62 % des Français font du sport.

73 % des Français ont plusieurs loisirs : ils font beaucoup de sport (du vélo, de la natation, du jogging) et vont aussi au cinéma. 14 % ont une passion, comme la danse ou le football, et 12 % restent chez eux et ne font rien de spécial.

Les Français aiment le temps libre, mais ils aiment aussi leur travail. Peu de Français (10 %) aimeraient travailler moins pour avoir plus de temps libre.

(source : TNS Sofres)

1. Quels loisirs est-ce que beaucoup de Français pratiquent ?

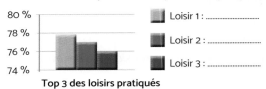

Top 3 des loisirs pratiqués

Loisir 1 : ....
Loisir 2 : ....
Loisir 3 : ....

2. Quels sont leurs loisirs préférés ?

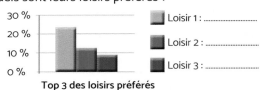

Top 3 des loisirs préférés

Loisir 1 : ....
Loisir 2 : ....
Loisir 3 : ....

3. Indiquez à quelle catégorie les mots ci-dessous correspondent
les amateurs de calme – les passionnés – les multi hobbies.

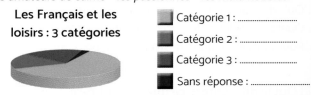

Les Français et les loisirs : 3 catégories

Catégorie 1 : ....
Catégorie 2 : ....
Catégorie 3 : ....
Sans réponse : ....

4. Quels sont les sports préférés des Français ?
   → ....

5. Quelles sont les passions préférées des Français ?
   → ....

6. Quel pourcentage de Français voudraient avoir plus de
   loisirs ? → .... %.

Écrire

5 Écoutez et écrivez. 🔊 86

....

....

....

....

....

....

....

....

....

....

6 Écrivez un texte sur vos loisirs : parlez des loisirs que vous pratiquez, que vous préférez, dites quels sports vous faites et si vous avez une passion. Enfin, dites si vous aimeriez plus de temps libre et pourquoi.

Mes loisirs

....

....

....

....

....

....

....

....

....

....

....

Écouter

7 Écoutez et cochez ce que vous entendez. 🔊 87

	[E]	[Œ]	[u]	[y]
1. [p_ʁ]	☐ père	☐ peur	☐ pour	☐ pur
2. [v_]	☐ vais	☐ vœux	☐ vous	☐ vu
3. [s_ʁ]	☐ cerfs	☐ sœur	☐ sourd	☐ sûr
4. [b_]	☐ baie	☐ bœufs	☐ boue	☐ bu
5. [ʒ_]	☐ jet	☐ jeu	☐ joue	☐ jus

8 Écoutez et répondez aux questions. 🔊 88

1. C'est à : ☐ Paris ☐ Lyon ☐ Marseille

2. Le journaliste fait une enquête sur ....

3. Qui est :

   a. la première personne interrogée ?

   → ....

   b. la deuxième personne interrogée ?

   → ....

   c. la troisième personne interrogée ?

   → ....

4. Écrivez ce qu'ils font :

	matin	après-midi
personne 1		
personne 2		
personne 3		

5. Qu'est-ce que beaucoup de personnes font le dimanche ?

   → ....

Comment dit-on dans votre langue ?

« Je vous en prie. » : ....

« C'est pour quoi ? » : ....

1 (1) Répétez après votre professeur. (2) Écoutez l'enregistrement et entourez ce que vous entendez. 👥👥 🔊 89

	2 syllabes	3 syllabes
1.	une heure	un euro
2.	deux heures	deux euros
3.	cinq heures	cinq euros
4.	sept heures	sept euros
5.	neuf heures	neuf euros

2 (1) Répondez au professeur. (2) Puis, interrogez-vous avec le vocabulaire. 👥👥

> Exemple :
– À quelle heure vous partez (tu pars) de la maison le lundi ?
– Vous prenez (tu prends) le bus pour venir ici ?

arriver

partir

commencer le travail /
commencer à travailler

finir le travail /
finir de travailler

rentrer chez soi /
rentrer à la maison

déjeuner

avoir une réunion

prendre sa voiture

prendre son vélo

marcher / aller à pied

le tramway

le bus

le train / le TGV

le métro

l'avion

une heure vingt-cinq
(du matin)

quatre heures
(du matin)

midi et quart

deux heures
et demie (de
l'après-midi)

neuf heures moins
vingt-cinq du soir

minuit moins
le quart

3 Écoutez et imitez.

Ce soir, je pars du bureau vers vingt heures. Je finis tard. J'ai un rendez-vous avec un client.

À quelle heure est-ce que vous finissez de travailler ce soir, monsieur Lecomte ?

Et demain matin, à quelle heure est-ce que vous arrivez au bureau ?

Demain, je commence à huit heures. J'ai une réunion.

Tu pars de la maison à quelle heure demain ?

Et tu rentres à la maison vers quelle heure ?

Je pars vers sept heures et demie. Demain, je commence le travail à huit heures et quart.

Eh bien, je finis le travail à six heures, je prends le tramway et j'arrive à la maison vers sept heures moins le quart.

À vous de jouer

4 Interrogez-vous à partir des images.

Paris 10 h 45
TGV
Lyon 12 h 50

> Exemple :

A : – À quelle heure est-ce que le TGV part de Paris ?

B : – Il part de Paris à onze heures moins le quart.

A : – Et à quelle heure est-ce qu'il arrive à Lyon ?

B : – Il arrive à Lyon à une heure moins dix.

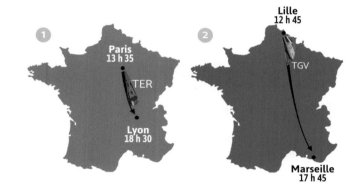

❶ Paris 13 h 35 — TER — Lyon 18 h 30

❷ Lille 12 h 45 — TGV — Marseille 17 h 45

5 Jouez les scènes.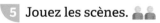

 7h45
 8h00
 8h15
 8h30-12h30

 12h40
 13h30-17h30
 17h35
 18h15

Leçon 11 • Rythmes

6 Écoutez, faites comme dans l'exemple, puis lisez à voix haute. 🔊 91

Prosodie et place de l'accent de phrase

> **Exemple :**

Il part à quelle heure ↗, le train pour Bruxelles ↘ ?
– Il part à huit heures vingt-cinq ↘.

1. En première ↗ ?
2. En première classe, s'il vous plaît ↘.
3. En seconde classe ↗ ?
4. En seconde ↘.
5. Vous voulez un billet ↗ ?
6. Vous voulez un billet en première ↗ ou en seconde classe ↘ ?

Lire

7 Repérez puis répondez.

1. Qui écrit l'e-mail ?
2. Il écrit à qui ?
3. À propos de quoi ?
4. Ils travaillent où ?

8 Lisez puis répondez.

1. Est-ce que Monsieur Martin voyage en avion ?
2. En quelle classe est-ce qu'il voyage ?
3. D'où est-ce qu'il part ?
4. À quelle heure est-ce que la réunion commence et à quelle heure est-ce qu'elle finit ?
5. Avec qui est-ce que Monsieur Martin doit déjeuner ?
6. Où est le restaurant la Cave du Roy ?

9 Identifiez les informations.

	Message 1	Message 2	Message 3	Message 4
Date	Vendredi 4 octobre 2019			
Heure				
Expéditeur		Jean-Pierre Martin		
Demande	– réservez le billet – choisissez un restaurant s'il vous plaît		Pas de demande	

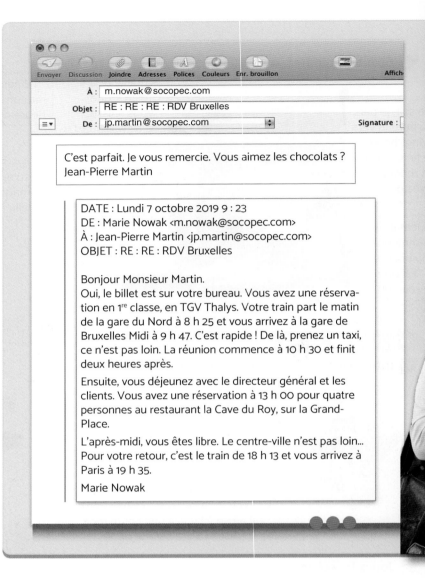

À : m.nowak@socopec.com
Objet : RE : RE : RE : RDV Bruxelles
De : jp.martin@socopec.com   Signature :

C'est parfait. Je vous remercie. Vous aimez les chocolats ?
Jean-Pierre Martin

DATE : Lundi 7 octobre 2019 9 : 23
DE : Marie Nowak <m.nowak@socopec.com>
À : Jean-Pierre Martin <jp.martin@socopec.com>
OBJET : RE : RE : RDV Bruxelles

Bonjour Monsieur Martin.
Oui, le billet est sur votre bureau. Vous avez une réservation en 1ʳᵉ classe, en TGV Thalys. Votre train part le matin de la gare du Nord à 8 h 25 et vous arrivez à la gare de Bruxelles Midi à 9 h 47. C'est rapide ! De là, prenez un taxi, ce n'est pas loin. La réunion commence à 10 h 30 et finit deux heures après.

Ensuite, vous déjeunez avec le directeur général et les clients. Vous avez une réservation à 13 h 00 pour quatre personnes au restaurant la Cave du Roy, sur la Grand-Place.

L'après-midi, vous êtes libre. Le centre-ville n'est pas loin... Pour votre retour, c'est le train de 18 h 13 et vous arrivez à Paris à 19 h 35.

Marie Nowak

Écrire

10 (1) Lisez, (2) recopiez, puis (3) comparez avec votre voisin.

La journée de travail classique en France commence à 9 heures et finit à 17 ou à 18 heures. Souvent, les employés français déjeunent de 12h30 à 13h30.

DATE : Lundi 7 octobre 2019 8 : 47
DE : Jean-Pierre Martin <jp.martin@socopec.com>
À : Marie Nowak <m.nowak@socopec.com>
OBJET : RE : RDV Bruxelles

Bonjour Marie, comment est-ce que je fais pour la réunion de Bruxelles de demain ? Le billet est réservé ?
Jean-Pierre Martin

DATE : Vendredi 4 octobre 2019 16 : 47
DE : Jean-Pierre Martin
<jp.martin@socopec.com>
À : Marie Nowak
<m.nowak@socopec.com>
OBJET : RDV Bruxelles

Marie,
Pour la réunion à Bruxelles, réservez le billet de train et choisissez un restaurant s'il vous plaît.
Jean-Pierre Martin

Dictée

11 (1) Écoutez et (2) écrivez. 👥 🔊 92

Chérie

Rédiger

12 (1) Interrogez votre voisin pour connaître son emploi du temps et complétez sa fiche.
(2) Puis, écoutez les présentations des autres élèves et prenez des notes. 👥

Profession	Jour / Transport	Début de journée	Pause-déjeuner	Fin de journée
Ma voisine, Natacha, est banquière.	Le lundi, elle prend sa voiture pour aller à son travail. Elle part de chez elle à 8 h.	Elle commence son travail à 8 h 30.	Elle déjeune de 12 h 30 à 13 h 30.	Elle finit son travail à 18 h et elle rentre chez elle à 18 h 30.

Leçon 11 • Rythmes

Les verbes

> **Observez :**

A : – Allô, Marie, tu pars à Paris avec nous samedi ?
Nous prenons la voiture de Mathieu.

B : – Merci, mais je ne peux pas, je prends le train avec
Sophie. Nous partons plus tard.

A : – Vous prenez le métro pour aller au rendez-vous ?
Vous partez à quelle heure ?

B : – Je pars vers 8 heures. Vous pouvez venir avec moi !

A : – Papi et Mamie ne peuvent pas venir ce week-end.
Ils partent à la mer.

B : – Ah bon ? Comment est-ce qu'ils vont à la mer ?
Ils prennent leur voiture ?

13 Complétez, puis vérifiez.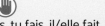

	Pouvoir	Partir	Prendre
je	peux	pars	prends
tu	....	....	....
il, elle	....	....	....
nous	pouvons	partons	prenons
vous	....	....	....
ils, elles	....	....	....

L'impératif

> **Observez :**

– David, arrête de parler et mange ta pizza !
– Chéri, allons au cinéma ce soir ! Et rentrons avant minuit !
– Kévin, Déborah, écoutez un peu, s'il vous plaît !
Et travaillez un peu plus en classe !

14 Complétez, puis vérifiez.

> **Exemple :**
Un professeur à ses élèves (écouter) → Écoutez !

1. Une mère à son enfant (manger) → ....
2. Un garçon à son frère (arrêter) → ....
3. Un guide à des touristes (regarder) → ....
4. Un mari à sa femme (aller au restaurant) → ....
5. Un policier aux voyageurs (présenter son passeport)
→ ....

15 Interrogez-vous à tour de rôle par écrit.

> **Exemple :** Je / Lyon ?
prendre le TGV / partir Paris à 10 h / arriver Lyon à 12 h.
A : – Comment est-ce que je peux aller à Lyon ?
B : – Prends / Prenez le TGV ! Il part de Paris à 10 h du matin
et il arrive à Lyon à midi.

• Verbes

- Il y a **3 groupes** : le 1er groupe (verbes en ~er, comme *aimer*), le 2e groupe (verbes en ~ir, comme *finir*) et le 3e groupe (*pouvoir, faire, sortir, lire...*).
- *Je, tu, il/elle/on* ont la **même prononciation**, sauf pour les verbes *être, avoir, aller*.
- **Toutes les conjugaisons :** tu → ~s
  nous → ~ons
  vous → ~ez

Attention ! ✋

– **faire** : je fais, tu fais, il/elle fait, nous faisons [fəzɔ̃], vous fai**tes**, ils/elles font

– **finir** : je finis, tu finis, il/elle finit, nous finissons, vous finissez, ils/elles finissent

---

• Impératif des verbes en ~er

Verbe à l'infinitif	Conjugaison au présent	Conjugaison à l'impératif
marcher	tu marches	Marche ! *(pas de -s)*
	nous marchons	March**ons** !
	vous marchez	March**ez** !

• Impératif des autres verbes

Verbe à l'infinitif	Conjugaison au présent	Conjugaison à l'impératif
finir	tu finis	Fin**is** ton exercice !
	nous finissons	Fin**issons** ce travail !
	vous finissez	Fin**issez** ça avant 17 h !
prendre	tu prends	Prend**s** ce train !
	nous prenons	Pren**ons** ce taxi !
	vous prenez	Pren**ez** le métro !

1. Je / Marseille ?
prendre l'avion / partir aéroport de Paris-Orly à 15 h / arriver aéroport de Marseille à 16 h 15.

2. Je / la tour Eiffel ?
prendre le taxi / partir gare Montparnasse à 12 h / arriver tour Eiffel à 12 h 15.

3. Nous / le musée Rodin ?
prendre le métro / partir station Gare du Nord à 11 h 45 / arriver station Varenne à 12 h 15.

S'échauffer

16 Prononcez et écrivez les mots en chiffres dans les colonnes.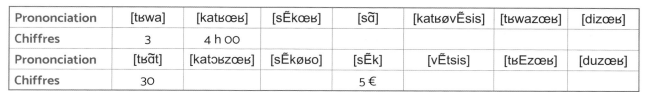

Prononciation	[tʁwa]	[katʁœʁ]	[sɛ̃kœʁ]	[sɑ̃]	[katʁøvɛ̃sis]	[tʁwazœʁ]	[dizœʁ]
Chiffres	3	4 h 00					
Prononciation	[tʁɑ̃t]	[katɔʁzœʁ]	[sɛ̃køʁo]	[sɛ̃k]	[vɛ̃tsis]	[tʁɛzœʁ]	[duzœʁ]
Chiffres	30			5 €			

Repérer

17 Écoutez et répondez. 93

Le train arrive à quelle heure ?

Cochez les bonnes réponses.

> Exemple :

A : – De quelle gare est-ce que le train part ?
B : – Il part de Paris-Gare de Lyon.

Nombre de voyageurs	☐ 1	☐ 2	☐ 3	☐ 4
Gare de départ	☑ Paris-Gare de Lyon	☐ Paris-Gare du Nord	☐ Paris-Gare de l'Est	☐ Paris-Gare d'Austerlitz
Gare d'arrivée	☐ Nantes	☐ Nîmes	☐ Nancy	☐ Nice
Horaire de départ choisi	☐ 2 h 38	☐ 12 h 38	☐ 10 h 38	☐ 11 h 10
Horaire d'arrivée	☐ 3 h 34	☐ 4 h 06	☐ 13 h 32	☐ 14 h 06
Billet	☐ Aller simple	☐ Aller-retour		
Classe	☐ 1re	☐ 2nde		
Prix	☐ 46 euros	☐ 286 euros	☐ 186 euros	☐ 126 euros
Moyen de paiement	☐ en liquide	☐ par carte bleue		

18 Qui le dit ? Qu'est-ce que ça veut dire ? 93

> Exemple :

– Qui dit « Oui, c'est très bien. C'est très très bien. » ?
 Qu'est-ce que ça veut dire ?
→ C'est le client. Il est content du premier horaire proposé.

1. « Non, non, merci. En seconde, s'il vous plaît. »
2. « Très bien... Alors, trois allers simples Paris-Nîmes, demain à 11 h 10, en première classe. »
3. « Ouiiii ? »
4. « Pardon ? »

À vous de jouer

19 Rejouez les scènes. 93 a-b

S'informer et confirmer

1 A : – Le train de 10 h 38 arrive à quelle heure, s'il vous plaît ?
 B : – À 13 h 32.
 A : – Oui, c'est très bien. C'est très très bien.

2 A : – Euh... Pardon, et le train de 11 h 10, il arrive à quelle heure ?
 B : – À 14 h 06.
 A : – Bon, d'accord, alors le train de 11 h 10.

20 En situation.

Réserver un billet

**Un ami vous demande de réserver des billets de train.
À deux, vous jouez la scène entre vous et un employé
de la SNCF. Puis, vous répondez à votre ami.**

Objet :	Réservation

Tu peux aller à la gare pour réserver deux billets aller-retour
Paris-Londres en Eurostar, pour toi et moi ?
Départ le 13/10 avant 11 h et retour le 16/10 après 18 h, OK ?
Pas trop cher, s'il te plaît ! Merci

Gare de départ : Paris-Gare du Nord, le 13 octobre

Départ	07 h 04	08 h 04	9 h 04	10 h 08	11 h 07
Prix (2nde cl)	80.00 €	100.00 €	115.00 €	80.00 €	100.00 €
Arrivée	08 h 30	09 h 39	10 h 39	11 h 30	12 h 30

Gare de départ : Londres St-Pancras, le 16 octobre

Départ	16 h 22	17 h 31	18 h 01	19 h 01	20 h 01
Prix (2nde cl)	39.50 €	39.50 €	65.00 €	39.50 €	39.50 €
Arrivée	19 h 47	20 h 47	21 h 17	22 h 17	23 h 17

Leçon 11 • Rythmes

Aidez-vous des tableaux de conjugaison en pages annexes.

Communiquer

1 Écrivez des phrases en utilisant les verbes « partir » et « arriver » à la bonne forme.

> Exemple :
– (Je / maison : 8 h 30 - bureau : 9 h 15)
→ Je pars de la maison à 8 h 30 et j'arrive au bureau à 9 h 15.

1. (Le TGV n° 7535 / Paris : 11 h 46 - Lille : 12 h 45)
   → ....

2. (Nous / gare de Paris : 15 h 53 - Lyon : 17 h 56)
   → ....

3. (Ils / aéroport Charles-de-Gaulle : 13 h 35 - aéroport Narita : 9 h 20)
   → ....

4. (Le bus / tour Eiffel : 10 h - musée du Louvre : 11 h 15)
   → ....

5. (Je / bureau : 18 h 10 - maison : 18 h 45)
   → ....

2 Voici la journée des employés d'une entreprise. Écrivez le verbe à la bonne forme.

prendre – finir (2x) – déjeuner – voir – commencer (2x) – rentrer – avoir une réunion

1. Le matin, mes collègues .... le travail à 8 h 30, mais moi, je .... un peu avant.
2. Généralement, nous .... le travail à midi et demi et nous .... à la cafétéria de l'entreprise.
3. Vers deux heures de l'après-midi, mon directeur et moi, nous .... et ensuite, je .... des clients.
4. Le soir, mes collègues .... vers 17 h 45, mais moi, je .... un peu plus tard.
5. Je .... ma voiture et je .... chez moi vers 19 h.

3 Lisez les phrases. Rayez les lettres non prononcées et regroupez les syllabes.

> Exemple :
six / heures / et /demie /
        z

1. une heure et quart
2. deux heures et demie
3. quatre heures moins le quart
4. cinq heures et quart
5. huit heures et quart
6. neuf heures et demie

Lire

4 Lisez ce document et répondez aux questions.

À :	marion7crazy@gmail.com
Objet :	réservation des billets
De :	jeremy-1990@free.fr

Salut !

Tu vas bien ?
J'ai un problème avec Internet à la maison. Je peux écrire des e-mails mais impossible de me connecter au site de la SNCF. Et donc, je ne peux pas réserver nos billets de train. Est-ce que tu peux faire la réservation, s'il te plaît ?
Nous partons de Paris, gare Montparnasse à 8 h 45 ce 16 octobre, destination Tours. Prends des billets allers-retours pour deux personnes, en seconde classe. Pour le retour, réserve des billets le 23 octobre. Attention, je vais chez mes parents à 19 heures. Donc, prends le retour à 17 h 05, départ de Tours. Normalement, nous arrivons à Paris vers 18 h.
C'est bon ? Téléphone-moi quand tu as les réservations !
Merci.

Gégé

1. Pourquoi est-ce que Jérémy ne peut pas réserver les billets sur Internet ?

   ....

2. Complétez les informations.

   RÉSERVER UN BILLET DE TRAIN

   Voyage ☐ Aller simple ☐ Aller-retour

   Départ ....
   Arrivée ....
   Aller le .... / ....   À .... h ....

   Départ ....
   Arrivée ....
   Aller le ..... / .....   À ....h ....
   Votre confort ☐ 1ᵉ classe ☐ 2ⁿᵈᵉ classe
   Nombre de passagers ....

3. Pourquoi est-ce qu'il veut rentrer à Paris avant 19 heures ?

   ....

Écrire

5 Écoutez et écrivez. 94

....

....

....

....

....

....

....

....

....

....

....

6 Vous voulez réserver ce billet sur Internet, mais vous n'avez pas de connexion. Sur le modèle de l'exercice 4, vous écrivez un mail à votre ami(e) et vous lui donnez les informations nécessaires pour réserver votre billet.

PARIS ◄ ► BRUXELLES	1 Passager	78.00 €

24 mai 2020

aller	○ 10h01	PARIS NORD	Thalys 9325	2ᵉ classe
	11 h 23	BRUXELLES MIDI		

27 mai 2020

aller	○ 16 h 13	BRUXELLES MIDI	Thalys 9358	2ᵉ classe
	17 h 35	PARIS NORD		

Envoyer	Discussion	Joindre	Adresses	Polices	Couleurs	Enr. brouillon

À :

Objet : réservation des billets

De :

Écouter

7 Écoutez et indiquez l'heure et la voie de départ, comme dans l'exemple. 95

	DESTINATION	DEPART	VOIE
1.	PARIS	15H	8
2.	LYON		
3.	MARSEILLE		
4.	BRUXELLES		
5.	LONDRES		

8 Écoutez et répondez aux questions. 96

1. Où est-ce que les deux jeunes hommes sont ?

....

2. Qu'est-ce qui est bizarre ?

....

3. Quelles sont les informations écrites sur le billet des jeunes hommes ?

> Train n° ....
>
> Départ : Paris   Arrivée : ....
>
> à : .... h ....   Voie : ....

4. Indiquez les changements :

Départ à : .... h ....   Voie : ....

Comment dit-on dans votre langue ?

« Qu'est-ce qui se passe ? » : ....

« Attends ! » : ....

« Je vous en prie. Bon voyage ! » : ....

Leçon 12 • Sorties

1 (1) Répétez après votre professeur.
(2) Écoutez l'enregistrement et entourez ce que vous entendez. 🔊 97

Le son	1. [p]	2. [b]	3. [v]	4. [m]	5. [g]	6. [ʁ]	7. [l]
[ɛ̃]	pain	bain	vingt	main	gains	rein	lin
[ɑ̃]	paon	banc	vent	ment	gant	rang	lent
[ɔ̃]	pont	bond	vont	mont	gong	rond	long

Échanger

2 (1) Répondez au professeur. (2) Puis, interrogez-vous avec le vocabulaire.

> Exemple :
– Est-ce que vous devez travailler ce week-end ?
– Vous voulez venir prendre un café ?
– Tu es libre après le cours ?

Tu viens... ? / Tu veux venir... ?
Vous venez... ? /
Vous voulez venir... ?

prendre un verre

voir un film

voir une pièce de théâtre

voir une exposition

voir un match

faire un tour en ville

passer un examen

3 Écoutez et imitez. 🔊 98

Vous venez déjeuner avec nous, Madame Bonnet ?

Je voudrais bien, mais je ne peux pas. Je dois travailler.

Et vous, Monsieur Girard, vous voulez venir avec nous ?

Oui, avec plaisir !

Tu es libre vendredi soir, Lola ?

Oui, pourquoi ?

On va en boîte. Tu veux venir avec nous ?

C'est gentil, merci, mais je ne peux pas. Je dois passer un examen samedi matin.

À vous de jouer

4 Interrogez-vous à partir des images.

> Exemple :

A : – Qu'est-ce qu'elle veut faire ?
B : – Elle veut aller déjeuner avec son collègue à midi.
A : – Est-ce que son collègue est d'accord ?
B : – Il voudrait bien, mais il ne peut pas ; à midi, il a une réunion.

Midi ?

Samedi soir ?

1

Mercredi soir ?

2

Jeudi matin

5 Jouez les scènes.

... ce soir ?

... avec nous ?

Leçon 12 • Sorties

S'échauffer

6 Écoutez, notez l'intonation, puis lisez à voix haute. 🔊 99

La synthèse rythmique et mélodique

> Exemple :
Un café ↗, s'il vous plaît ! ↘ . / S'il vous plaît ↗, un café ! ↘

1. On va en boîte, vendredi soir. / Vendredi soir, on va en boîte.
2. On dîne, puis on part. / On part, puis on dîne.
3. On se voit sur la place, à sept heures. / À sept heures, on se voit sur la place.
4. Rendez-vous au café, après le cours. / Après le cours, rendez-vous au café.

Lire

7 Repérez puis répondez. 👥

> Exemple :
A : – Qui sont « Juju » et « Nico » ?
B : – C'est Juliette et Nicolas.

1. À quelle heure est-ce que Nicolas écrit à Juliette ?
2. À quelle heure est-ce que Juliette répond à Nicolas ?
3. Comment est-ce qu'on sait que Nicolas et Juliette sont des amis ?

8 Lisez puis répondez. 👥

1. Où est-ce que Nicolas propose d'aller vendredi soir ?
2. Qu'est-ce que Nicolas et ses amis veulent faire avant d'aller en boîte ?
3. À quelle heure est-ce qu'ils ont rendez-vous chez leur ami ?
4. Est-ce que Juliette accepte l'invitation ? Pourquoi ?
5. Pourquoi est-ce qu'elle ne peut pas dîner avec eux ?
6. À quelle heure est-ce qu'elle peut arriver chez Stéphane ?

9 Ensemble, identifiez les informations. 👥

Objet de l'e-mail	
Pour exposer le projet	
Pour inviter	
Pour donner rendez-vous	
Pour remercier	
Pour accepter l'invitation	

SORTIE EN BOÎTE !

Envoyer Discussion Joindre Adresses Polices Couleurs Enr. brouillon

À : Juliette <J.PETIT@univ-fcomte.com>
Objet : Sortie en boîte
De : Nicolas <niconico@gmail.com>

DATE : Mercredi 9 octobre 2019 16:43

Salut Juju,

On va en boîte avec les copains vendredi soir. Tu aimes danser, je crois. Tu veux venir avec nous ?

On dîne chez Stéphane d'abord, puis on part ensemble.

Rendez-vous chez Stéphane à 19 h ? J'attends ta réponse.

Bises,

Nicolas

Écrire

10 (1) Lisez, (2) recopiez, puis (3) comparez avec votre voisin. 👥

Le samedi soir, les jeunes Français sortent beaucoup. Ils vont au restaurant, au café, au cinéma ou encore en discothèque.

Dictée

11 (1) Écoutez et (2) écrivez. 👥 🔊 100

Envoyer Discussion Joindre Adresses Polices Couleurs Enr. brouillon

Salut Kévin !

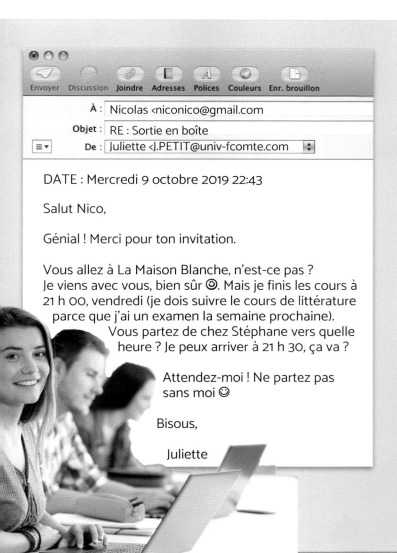

À : Nicolas <niconico@gmail.com
Objet : RE : Sortie en boîte
De : Juliette <J.PETIT@univ-fcomte.com

DATE : Mercredi 9 octobre 2019 22:43

Salut Nico,

Génial ! Merci pour ton invitation.

Vous allez à La Maison Blanche, n'est-ce pas ?
Je viens avec vous, bien sûr ☺. Mais je finis les cours à
21 h 00, vendredi (je dois suivre le cours de littérature
parce que j'ai un examen la semaine prochaine).
Vous partez de chez Stéphane vers quelle
heure ? Je peux arriver à 21 h 30, ça va ?

Attendez-moi ! Ne partez pas
sans moi ☺

Bisous,

Juliette

Rédiger

12 (1) Écrivez un e-mail d'invitation à votre voisin.
(2) Échangez vos e-mails et (3) répondez par écrit.

> Exemple :

Introduction	Salut Mariame !
Activité proposée (+ qui vient / quand / heure / où)	Ce soir, Nini, Gégé et moi, on va au cinéma. On voudrait voir *Avengers*. Le film commence à 21 h.
Invitation	Tu veux venir avec nous ?
Informations (où est le rendez-vous ? à quelle heure ?)	Rendez-vous sur la place, à côté de la mairie à 20 h ? Téléphone-moi !
Conclusion	À ce soir ? Bises, Clément

Objet : ....
De : ....

....
....
....

Objet : ....
De : ....

....
....
....

Leçon 12 • Sorties

Les prépositions + un pronom tonique

> Observez :

– Nathalie et moi, nous allons au café. Tu viens avec nous ?

– Je dîne chez mes amis. On part de chez eux vers 21 h.

– Ne partez pas chez Stéphane sans moi ! J'ai un cadeau pour lui.

13 Répondez aux questions, comme dans l'exemple.

> Exemple :

A : – Tu vas au cinéma avec Mathilde ?

B : – Oui, je vais au cinéma avec elle.

1. Tu viens dîner chez nous demain ?
2. Tu fais la cuisine pour tes parents ?
3. Tu peux faire les courses sans moi ?
4. Tu prends le métro avec Éric ?
5. Tu vas à la montagne avec Stéphanie et Juliette ?

Les verbes *vouloir, devoir et venir*

> Observez :

– Ma mère veut faire des crêpes. Je dois faire les courses.
  Tu viens avec moi ?

– Vous voulez avoir le DELF A1 ? Vous devez étudier plus !

– Aurélien et moi, nous devons aller à bibliothèque.
  Vous venez avec nous ?

– Ces étudiants veulent aller à la mer, mais c'est loin.
  Ils doivent prendre le train.

14 Complétez, puis vérifiez.

Le verbe *vouloir*	Le verbe *devoir*	Le verbe *venir*
Je veux	Je dois	Je viens
Tu	Tu	Tu ....
Il/elle/on	Il/elle/on	Il/elle/on ....
Nous	Nous devons	Nous ....
Vous	Vous	Vous venez
Ils/elles veulent	Ils/elles	Ils/elles viennent

L'impératif à la forme négative

> Observez :

– Ne regarde pas ce film ! Il n'est pas intéressant.

– N'habitez pas dans ce quartier ! Il n'y a pas de magasin.

15 Interrogez-vous à tour de rôle par écrit.

> Exemple :

(tu) Ne pas rester chez soi / sortir

A : – Tu ne dois pas rester chez toi, tu dois sortir.

B : – C'est gentil, merci, mais je ne veux pas sortir.
      Je préfère rester chez moi.

A : – Écoute mes conseils ! Ne reste pas chez toi, sors !

Règle n°34

• Prépositions + pronom tonique

Pour ne pas répéter un nom, on utilise un pronom tonique (*moi, toi, lui/elle, nous, vous, eux/elles*) après une préposition (*avec, sans, chez, pour, de, ...*).

Préposition + pronom tonique
– Tu vas au cinéma avec tes amis ? → Oui, je vais au cinéma **avec** eux.
– C'est un cadeau pour qui ? → C'est un cadeau **pour** toi !
– Tu vas à l'école avec Marie et Noémie ? → Non, je vais à l'école **sans** elles.
– Votre fille habite chez vous ? → Oui, elle habite **chez** nous.

Règle n°35

• Les verbes du 3ᵉ groupe à deux bases

Les verbes *vouloir, devoir* et *venir* sont des verbes à trois bases.

Vouloir	[vø] : je **veu**x	[vul~] : nous **voul**ons	[vœl] : ils **veul**ent
Devoir	[dwa] : je **doi**s	[dəv~] : nous **dev**ons	[dwav] : ils **doiv**ent
Venir	[vjɛ̃] : je **vien**s	[vən~] : nous **ven**ons	[vjɛn] : ils **vienn**ent

---

Règle n°36

• Impératif à la forme négative

Verbe à l'infinitif	Conjugaison au présent	Conjugaison à l'impératif
manger	tu ne manges pas	Ne mang**e** pas ! *(pas de -s)*
	nous ne mangeons pas	Ne mang**eons** pas !
	vous ne mangez pas	Ne mang**ez** pas !
prendre	tu ne prends pas ce cours	Ne prend**s** pas ce cours !

---

1. (tu) Ne pas aller en boîte / étudier pour tes examens
2. (vous) Ne pas rester chez soi / faire du sport
3. (tu) Ne pas habiter en ville / habiter en banlieue
4. (tu) Aller à la montagne / venir à la mer

S'échauffer

16 Prononcez, soulignez les voyelles nasales, puis écrivez le mot dans la colonne correspondante.

~~Encore~~ – ~~tiens ?~~ – ~~problème~~ – Eh ben ! – ~~Eh non.~~ – Ah bon ? – tant pis… – vraiment ? – en réalité – mercredi prochain ! – un dessin – je comprends – prendre – s'inscrire – c'est dommage – à la prochaine !

Mots avec le son [ɛ̃]	Mots avec le son [ɑ̃]	Mots avec le son [ɔ̃]	Mots sans voyelle nasale
Tiens ?	Encore	Eh non.	Problème

Repérer

17 Regardez la vidéo et répondez.

Vous êtes libre ce soir ?

1. Associez.

> Exemple :
Qui veut voir un film ? → C'est (Ce sont)…

voir un film • • Jérémy
aller au musée • • Mélanie
aller au café • • Les deux filles
passer un examen • • Le professeur

2. Répondez.

1. Qu'est ce que Jérémy veut faire ?
2. Qui est-ce qu'il invite ?
3. Pourquoi est-ce qu'elles ne peuvent pas ?
4. Qu'est-ce que le professeur propose de faire ?
5. Qu'est-ce que Jérémy répond ?

18 Qui le dit ? Qu'est-ce que ça veut dire ?

> Exemple :
– Qui dit « Allez, viens ! » ? Qu'est-ce que ça veut dire ?
→ C'est Jérémy. Il demande à Mélanie de venir.

1. « Ah… Bon, tant pis, je comprends. C'est dommage. »
2. « OK. Bon courage pour le test, hein ! »
3. « Eh ben, j'ai pas de chance ! »
4. « Ah zut ! Je ne peux pas ! »

À vous de jouer

19 Rejouez les scènes.

Proposer à quelqu'un de faire quelque chose / accepter / refuser poliment

A : – Hé, Mélanie, Sébastien et moi, on voudrait prendre un verre vendredi soir. Tu veux venir avec nous ?
B : – Encore ! Vendredi soir ? Je voudrais bien mais je ne peux pas.
A : – Allez, viens !
B : – Non. c'est impossible. Tu vois, je dois passer le Test de Dessin samedi matin…
A : – Ah Bon… Tant pis, je comprends. C'est dommage.

20 En situation.

Organiser une sortie

1. Indiquez votre emploi du temps dans l'agenda.

Vendredi	Samedi	Dimanche
8:00	8:00	8:00
12:00	12:00	12:00
18:00	18:00	18:00

2. Vous voulez sortir avec vos camarades de classe en fin de semaine.
→ Dites ce que vous voulez faire (quoi, où, quand).
→ Invitez votre camarade de classe.
→ Donnez rendez-vous (où, à quelle heure).
→ Notez l'activité dans votre agenda.

Leçon 12 • Sorties

Aidez-vous des tableaux de conjugaison en pages annexes.

Communiquer

1 **Utilisez les verbes *pouvoir*, *devoir*, *vouloir* à la bonne forme.**

1. Demain, nous avons un examen : nous .... étudier sérieusement.
2. Pardon ? Vous .... répéter, s'il vous plaît ?
3. Maintenant, nous avons 18 ans ; nous .... aller en discothèque.
4. Cette rue est très bruyante ; les habitants ne .... pas bien dormir.
5. Ton appartement est sale ! Tu .... faire le ménage.
6. C'est samedi soir ! Laurence .... sortir avec ses amis.

2 **À l'aide du vocabulaire de la leçon, posez des questions plus poliment, comme dans l'exemple.**

> Exemple :
Tu viens en ville avec nous ?
→ Est-ce que tu veux venir faire un tour en ville avec nous ?

1. Tu viens au cinéma avec moi ce soir ?
   → ....
   ....
2. Vous venez au théâtre avec nous samedi soir ?
   → ....
   ....
3. Tu viens au stade de foot mercredi soir ?
   → ....
   ....
4. Vous venez au café pour déjeuner ?
   → ....
   ....
5. Vous venez au musée dimanche ?
   → ....
   ....

3 **Classez les mots dans la ou les colonne(s) correspondante(s) et soulignez la partie du mot concernée.**

1. Je voudrais partir du bureau à 18 heures.
2. Tu veux faire un tour en ville ?
3. Vous venez déjeuner ?
4. Vous voulez venir avec nous ?
5. Rendez-vous au restaurant à neuf heures.

[E] (= [ɛ] ou [ε])	[Œ] (= [œ] ou [ø])	[o] (= [o] ou [ɔ])	[u]
voudrais	*Je*	....	*voudrais*
....	....	....	....
....	....	....	....

Lire

4 **Lisez ce document et répondez aux questions.**

> À : marine-J@hotmail.fr
> Objet : Re : invitation
> De : thomas-legrand@free.fr
>
> Chère Marine,
>
> Comment vas-tu ?
> Merci pour ton invitation, c'est sympa. Je voudrais bien venir, mais samedi soir, je ne peux pas. Je vais au stade de France voir un concert de rock avec des amis. Par contre, dimanche, je suis libre. Quel film est-ce qu'on va voir ?
> À plus tard !
> Bises,
> Thomas

1. C'est un message :
   ☐ amical   ☐ professionnel   ☐ commercial.
2. Thomas connaît :   ☐ un peu   ☐ bien   Marine.
3. Qu'est-ce que Marine propose de faire ? ....
   ....
   ....
4. Est-ce que Thomas peut ? Pourquoi ? ....
   ....
   ....
5. Quand est-ce qu'il est disponible ? ....
   ....
   ....

Écrire

5 Écoutez et écrivez. 🔊 101

....
....
....
....
....
....
....
....
....

6 Imaginez l'e-mail de Marine à Thomas (voir exercice 4). Saluez, proposez une activité (précisez quand, à quelle heure et où), donnez des détails (dites avec qui, où est le rendez-vous, à quelle heure), concluez.

```
● ○ ○
Envoyer  Discussion  Joindre  Adresses  Polices  Couleurs  Enr. brouillon
      À :  thomas-legrand@free.fr
   Objet :  invitation
≡▼   De :  marine-J@hotmail.fr            ⬦
```

Écouter

7 Écoutez et cochez ce que vous entendez. 🔊 102

	[ɛ̃]	[ɑ̃]	[ɔ̃]
1.	☐ pain	☐ pan	☐ pont
2.	☐ bain	☐ banc	☐ bon
3.	☐ vin	☐ vent	☐ vont
4.	☐ Reims	☐ rance	☐ ronce
5.	☐ lin	☐ lent	☐ long

8 Écoutez et répondez aux questions. 🔊 103

1. Jessica propose :
   ☐ de voir un film
   ☐ d'aller au restaurant
   ☐ de voir un match

2. Jessica veut :
   ☐ prendre le train
   ☐ prendre le métro
   ☐ prendre sa voiture

3. À quelle heure est le rendez-vous ?
   ☐ à 18 h 15
   ☐ à 18 h 45
   ☐ à 19 h 05

4. Quel est le numéro de téléphone de Jessica ?
   C'est le ....

5. Fabien :
   ☐ accepte l'invitation.
   ☐ refuse l'invitation.

6. Pourquoi ? ....

Comment dit-on dans votre langue ?
« Merci pour ton invitation » : ....
« Passe le bonsoir à Yasmine. » : ....

Une fête avec la classe de français

Organisez une fête avec la classe !

01 Interrogez vos voisins sur leur emploi du temps. Demandez-leur quand ils sont libres, quand ils préfèrent sortir et à quelle heure. (Document 1)

02 Demandez à vos voisins quelles activités ils voudraient faire. (Document 2)

03 Faites un bilan sur les possibilités. (Document 3)

04 Faites un bilan sur les possibilités (2 possibilités par groupe). Choisissez la meilleure possibilité et fixez un rendez-vous. Remplissez le **document 4**.

Document 1

Emploi du temps de ....

	Lundi	**Mardi**	**Mercredi**	**Jeudi**	**Vendredi**	**Samedi**	**Dimanche**
Matin / après-midi							
Soir							

Emploi du temps de ....

	Lundi	**Mardi**	**Mercredi**	**Jeudi**	**Vendredi**	**Samedi**	**Dimanche**
Matin / après-midi							
Soir							

Document 2

	Personne 1				**Personne 2**			
	-	+	++	+++	-	+	++	+++
Aller au café et prendre un verre								
Aller au restaurant								
Faire une fête dans la classe								
Aller au parc et faire un pique-nique								
Aller chez un(e) étudiant(e) de la classe								

Document 4

Sortie avec la classe

Où : ....

Quel jour : ....

À quelle heure : ....

Quoi : ....

Rendez-vous : ....

Où : ....

À quelle heure : ....

Document 3

Possibilité 1
Sortie avec la classe

Où : ....

Quel jour : ....

À quelle heure : ....

Quoi : ....

Possibilité 2
Sortie avec la classe

Où : ....

Quel jour : ....

À quelle heure : ....

Quoi : ....

10 min environ / 25 points

Pour répondre aux questions, cochez (✓) la bonne réponse, ou écrivez l'information demandée.

Exercice 1
15 points

Regardez les images. Vous allez entendre 5 messages. Associez chaque situation à une image. 104

> Exemple :

Vous entendez : « Message 1
– Allô, Juliette ? C'est Nico ! Dis, tu veux venir voir une pièce de théâtre avec nous ce vendredi ?
– Oh ! J'adore le théâtre, mais ce vendredi, je ne peux pas, je dois dîner avec mes collègues. »
La bonne réponse est l'image A.

Image A	Image B	Image C
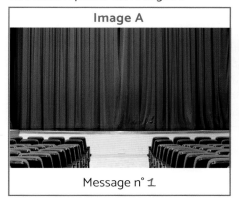	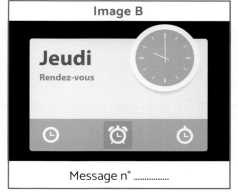	
Message n° 1	Message n°	Message n° ....

Image D	Image E	Image F
	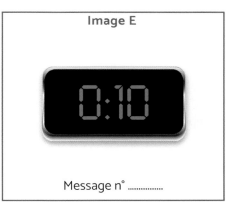	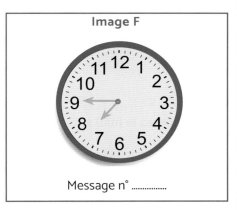
Message n°	Message n°	Message n° ....

Exercice 2
10 points

Vous allez entendre 2 fois un document. Vous aurez 30 secondes de pause entre les 2 écoutes puis 30 secondes pour vérifier vos réponses. Lisez d'abord les questions.

Vous avez un message téléphonique de votre amie Géraldine. Répondez aux questions.  105

1. Où allez-vous avec votre amie ? .... 2 points

2. Vous partez de quelle gare ? .... 2 points

3. À quelle heure part le train ? .... 2 points

4. À quelle heure arrive le train ? .... 2 points

5. Combien coûte le billet ? .... 2 points

Partie 2

Compréhension des écrits

15 min / 25 points

Pour répondre aux questions, cochez (✓) la bonne réponse, ou écrivez l'information demandée.

Exercice 1

12 points

Nicolas a acheté un billet pour un match, il regarde son emploi du temps. Répondez aux questions.

	Vendredi 26	Samedi 27	Dimanche 28
Matin	8h30 : Examen auto-école 10h : RDV avec M. Rivière (bureau de Marc) 11h : Réunion de direction	Courses	Rugby (match)
Midi	Déjeuner de travail avec M. Rivière		déjeuner chez Maman
Après-midi	18h34 : arrivée d'Alex (gare Montparnasse, TGV n° 8715)	15h : Rugby (entraînement)	
Soir	19h : resto italien avec Alex puis ciné	Pas de sortie !!!	

1. Qu'est-ce que Nicolas fait vendredi matin ? (2 réponses, 4 points)
   - ☐ Il doit passer un examen.
   - ☐ Il doit faire des courses.
   - ☐ Il voit des amis.
   - ☐ Il travaille.
   - ☐ Il apprend le français.

2. Quand est-ce qu'il fait du sport ? (2 réponses, 4 points)
   - ☐ vendredi après-midi
   - ☐ samedi matin
   - ☐ samedi après-midi
   - ☐ dimanche matin
   - ☐ dimanche après-midi

2. Vendredi, après son travail, qu'est-ce qu'il fait ? (2 réponses, 4 points)
   - ☐ Il prend le train avec Alex pour aller en Italie.
   - ☐ Il a rendez-vous avec Alex à la gare.
   - ☐ Il va dîner avec Alex et voir un film.
   - ☐ Il déjeune avec M. Rivière.

Exercice 2

13 points

Vous recevez le mail suivant. Lisez puis répondez aux questions.

De : Clément Baudoin <C.Baudoin@videotron.nc>
Cc : Pascal St-Laurent <P.St-Laurent@videotron.fr >
Objet : RE: billets NC ?

Chers collègues,

Votre vol pour Nouméa est confirmé :
– vous partez de Roissy Charles de Gaulle (CDG, Terminal 2) le vendredi 26 avril à 13 h 30 (vol Air France AF276) ;
– vous changez d'avion à Tokyo, Narita (vol Aircalin SB4021). Arrivée à 8 h 25 et départ à 12 h 15 : 4 heures d'attente ;
– vous arrivez à Nouméa à 22 h 50, heure de Nouvelle-Calédonie (désolé, mais c'est le seul vol possible).
Le trajet dure 11 h 55 pour le Japon puis 8 h 35 pour la Nouvelle-Calédonie. Bon courage !
Ne vous inquiétez pas, je viens vous chercher à l'aéroport et je vous emmène à votre hôtel.
Nous pouvons aller à la plage dimanche. Mais lundi matin, nous avons une réunion de direction à 8 h au bureau !
Lundi soir, nous dînons en ville avec M. Rivière.
On se voit dans 8 jours.

À bientôt !
Clément

1. Vous allez : ☐ à Tokyo ☐ à Nouméa ☐ à Narita — 2 points

2. Le voyage entre la France et la Nouvelle-Calédonie dure ? 3 points
   - ☐ 8 h 35
   - ☐ 11 h 55
   - ☐ 22 h 50
   - ☐ 24 h 30

3. Qui vient vous chercher ? .... 2 points

4. Qu'est-ce qu'ils font le dimanche ? (1 réponse) 2 points
   Ils vont :
   - ☐ à l'hôtel
   - ☐ au restaurant
   - ☐ à la plage
   - ☐ au bureau

5. Qu'est-ce qu'ils font le lundi ? (2 réponses) 4 points
   Ils vont :
   - ☐ à l'hôtel
   - ☐ au restaurant
   - ☐ à la plage
   - ☐ au bureau

Partie 3

15 min / 25 points

Exercice 1   8 points

Un ami vous invite pour le week-end. Il vous envoie des messages.
Remplissez votre agenda.

Omar
30 juin à 18 h

Je viens te chercher à la gare du Nord à 17 h 55 (TGV n° 3054, n'est-ce pas ?)

Après, on va au restaurant vietnamien à côté de la maison. Il est super bon !

Samedi matin, on ne fait rien et l'après-midi, on peut aller faire un musée, non ?

C'est bon ! J'ai deux billets pour le concert de Black M samedi. Ça commence à 20 h.

Pour le dimanche matin, je te propose deux choses : une promenade en ville, ou bien un bon jogging. Qu'est-ce que tu préfères ? À quelle heure tu repars à Lille dimanche ?

Message

	Vendredi	Samedi	Dimanche
Matin			
Midi			
Après-midi	*Arrivée à la gare du Nord. TGV3054 à 17h55*		
Soir			

Exercice 2

Vous écrivez à un ami pour lui proposer une sortie. Vous précisez l'activité ainsi que le lieu et l'heure du rendez-vous. N'oubliez pas les salutations. (20 mots minimum).

15 points

De : ....

Objet :

....,

....

....

....

....

....

Partie 4

5 à 7 min, préparation : 10 min / 25 points

L'épreuve se déroule en trois parties : un entretien dirigé, un échange d'informations et un dialogue simulé (ou jeu de rôle). Elle dure de 5 à 7 minutes. Vous disposez de 10 minutes de préparation pour les parties 2 et 3.

Entretien dirigé (1 minute environ)   8 points

Interrogez-vous à tour de rôle.

- À quelle heure est-ce que vous commencez votre travail le lundi ? / Tes cours commencent à quelle heure le lundi ?
- À quelle heure est-ce que vous rentrez chez vous le vendredi ? / Tu rentres chez toi à quelle heure le vendredi ?
- Qu'est-ce que vous faites généralement le dimanche ? / Tu fais quoi généralement le dimanche ?
- Qu'est-ce que vous voulez faire ce week-end ? / Tu veux faire quoi ce week-end ?

Échange d'informations (2 minutes environ)   8 points

À partir des cartes sur lesquelles figurent des mots, vous posez 4 questions à votre voisin.

Exemple : Exposition → « Vous voulez venir voir l'exposition Monet avec nous ? »

Exposition ?	Cuisine ?	Montagne ?
Piscine ?	Bricolage ?	Match ?
Marché ?	Vacances ?	Tour en ville ?

Dialogue simulé (ou jeu de rôle) (2 minutes environ)   9 points

Vous allez simuler une situation → *Votre ami n'aime pas beaucoup sortir.*
Vous lui proposez des activités pour le week-end.

Annexes

3 verbes irréguliers

Infinitif	Présent	Impératif
Être [ɛtʁ]	je suis /ʒəsɥi/ tu es /tye/ il/elle/on est /ilɛ/ nous sommes /nusɔm/ vous êtes /vuzɛt/ ils/elles sont /ilsɔ̃/	sois /swa/ soyons /swajɔ̃/ soyez /swaje/

Infinitif	Présent	Impératif
Avoir [avwaʁ]	j'ai /ʒɛ/ tu as /tya/ il/elle/on a /ila/ nous avons /nuzavɔ̃/ vous avez /vuzave/ ils/elles ont /ilzɔ̃/	aie /ɛ/ ayons /ɛjɔ̃/ ayez /ɛje/

Infinitif	Présent	Impératif
Aller [ale]	je vais /ʒəvɛ/ tu vas /tyva/ il/elle/on va /ilva/ nous allons /nuzalɔ̃/ vous allez /vuzale/ ils/elles vont /ilvɔ̃/	va /va/ allons /alɔ̃/ allez /ale/

Les verbes du 1er groupe (en ~er)

Infinitif	Présent	Impératif
Habiter [abite]	j'habite /ʒabit/ tu habites /tyabit/ il/elle/on habite /ilabit/ nous habitons /nuzabitɔ̃/ vous habitez /vuzabite/ ils/elles habitent /ilzabit/	habite /abit/ habitons /abitɔ̃/ habitez /abite/

Infinitif	Présent	Impératif
Parler [paʁle]	je parle /ʒəpaʁl/ tu parles /typaʁl/ il/elle/on parle /ilpaʁl/ nous parlons /nupaʁlɔ̃/ vous parlez /vupaʁle/ ils/elles parlent /ilpaʁl/	parle /paʁl/ parlons /paʁlɔ̃/ parlez /paʁle/

Infinitif	Présent	Impératif
Manger [mɑ̃ʒe]	je mange /ʒəmɑ̃ʒ/ tu manges /tymɑ̃ʒ/ il/elle/on mange /ilmɑ̃ʒ/ nous mangeons /numɑ̃ʒɔ̃/ vous mangez /vumɑ̃ʒe/ ils/elles mangent /ilmɑ̃ʒ/	mange /mɑ̃ʒ/ mangeons /mɑ̃ʒɔ̃/ mangez /mɑ̃ʒe/

Un verbe pronominal : s'appeler

Infinitif	Présent
S'appeler [sap(ə)le]	je m'appelle /ʒəmapɛl/ tu t'appelles /tytapɛl/ il/elle/on s'appelle /ilsapɛl/ nous nous appelons /nunuzap(ə)lɔ̃/ vous vous appelez /vuvuzap(ə)le/ ils/elles s'appellent /ilsapɛl/

Un verbe du 2e groupe (en ~ir)

Infinitif	Présent	Impératif
Finir [finiʁ]	je finis /ʒəfini/ tu finis /tyfini/ il/elle/on finit /ilfini/ nous finissons /nufinisɔ̃/ vous finissez /vufinise/ ils/elles finissent /ilfinis/	finis /fini/ finissons /finisɔ̃/ finissez /finise/

Les verbes du 3e groupe

Infinitif	Présent	Impératif
Faire [fɛʁ]	je fais /ʒəfɛ/ tu fais /tyfɛ/ il/elle/on fait /ilfɛ/ nous faisons /nufəzɔ̃/ vous faites /vufɛt/ ils/elles font /ilfɔ̃/	fais /fɛ/ faisons /fəzɔ̃/ faites /fɛt/

Infinitif	Présent	Impératif
Connaître [kɔnɛtʁ]	je connais /ʒəkɔnɛ/ tu connais /tykɔnɛ/ il/elle/on connaît /ilkɔnɛ/ nous connaissons /nukɔnɛsɔ̃/ vous connaissez /vukɔnɛse/ ils/elles connaissent /ilkɔnɛs/	connais /kɔnɛ/ connaissons /kɔnɛsɔ̃/ connaissez /kɔnɛse/

Infinitif	Présent	Impératif
Dire [diʁ]	je dis /ʒədi/ tu dis /tydi/ il/elle/on dit /ildi/ nous disons /nudizɔ̃/ vous dites /vudit/ ils/elles disent /ildiz/	dis /di/ disons /dizɔ̃/ dites /dit/

Infinitif	Présent	Impératif
Dormir [dɔʁmiʁ]	je dors /ʒədɔʁ/ tu dors /tydɔʁ/ il/elle/on dort /ildɔʁ/ nous dormons /nudɔʁmɔ̃/ vous dormez /vudɔʁme/ ils/elles dorment /ildɔʁm/	dors /dɔʁ/ dormons /dɔʁmɔ̃/ dormez /dɔʁme/

Infinitif	Présent	Impératif
Lire [liʁ]	je lis /ʒəli/ tu lis /tyli/ il/elle/on lit /illi/ nous lisons /nulizɔ̃/ vous lisez /vulize/ ils/elles lisent /illiz/	lis /li/ lisons /lizɔ̃/ lisez /lize/

Infinitif	Présent	Impératif
Partir [paʁtiʁ]	je pars /ʒəpaʁ/ tu pars /typaʁ/ il/elle/on part /ilpaʁ/ nous partons /nupaʁtɔ̃/ vous partez /vupaʁte/ ils/elles partent /ilpaʁt/	pars /paʁ/ partons /paʁtɔ̃/ partez /paʁte/

Infinitif	Présent	Impératif
Prendre [pʁɑ̃dʁ]	je prends /ʒəpʁɑ̃/ tu prends /typʁɑ̃/ il/elle/on prend /ilpʁɑ̃/ nous prenons /nupʁ(ə)nɔ̃/ vous prenez /vupʁ(ə)ne/ ils/elles prennent /ilpʁɛn/	prends /pʁɑ̃/ prenons /pʁ(ə)nɔ̃/ prenez /pʁ(ə)ne/

Infinitif	Présent	Impératif
Savoir [savwaʁ]	je sais /ʒəsɛ/ tu sais /tysɛ/ il/elle/on sait /ilsɛ/ nous savons /nusavɔ̃/ vous savez /vusave/ ils/elles savent /ilsav/	sache /saʃ/ sachons /saʃɔ̃/ sachez /saʃe/

Infinitif	Présent	Impératif
Venir [v(ə)niʁ]	je viens /ʒəvjɛ̃/ tu viens /tyvjɛ̃/ il/elle/on vient /ilvjɛ̃/ nous venons /nuv(ə)nɔ̃/ vous venez /vuv(ə)ne/ ils/elles viennent /ilvjɛn/	viens /vjɛ̃/ venons /v(ə)nɔ̃/ venez /v(ə)ne/

Infinitif	Présent	Impératif
Voir [vwaʁ]	je vois /ʒəvwa/ tu vois /tyvwa/ il/elle/on voit /ilvwa/ nous voyons /nuvwajɔ̃/ vous voyez /vuvwaje/ ils/elles voient /ilvwa/	vois /vwa/ voyons /vwajɔ̃/ voyez /vwaje/

Infinitif	Présent	Impératif
Pouvoir [puvwaʁ]	je peux /ʒəpø/ tu peux /typø/ il/elle/on peut /ilpø/ nous pouvons /nupuvɔ̃/ vous pouvez /vupuve/ ils/elles peuvent /ilpœv/	- - -

Infinitif	Présent	Impératif
Vouloir [vulwaʁ]	je veux /ʒəvø/ tu veux /tyvø/ il/elle/on veut /ilvø/ nous voulons /nuvulɔ̃/ vous voulez /vuvule/ ils/elles veulent /ilvœl/	- - -

Infinitif	Présent	Impératif
Devoir [dəvwaʁ]	je dois /ʒədwa/ tu dois /tydwa/ il/elle/on doit /il dwa/ nous devons /nudəvɔ̃/ vous devez /vudəve/ ils/elles doivent /ildwav/	- - -

Le conditionnel présent de deux verbes

Infinitif	Présent
Aimer [Eme]	j'aimerais /ʒɛməʁɛ/ tu aimerais /tyɛməʁɛ/ il/elle/on aimerait /ilɛməʁɛ/ nous aimerions /nuzɛməʁjɔ̃/ vous aimeriez /vuzɛməʁje/ ils/elles aimeraient /ilzɛməʁɛ/

Infinitif	Présent
Vouloir [vulwaʁ]	je voudrais /ʒəvudʁɛ/ tu voudrais /tyvudʁɛ/ il/elle/on voudrait /ilvudʁɛ/ nous voudrions /nuvudʁijɔ̃/ vous voudriez /vuvudʁije/ ils/elles voudraient /ilvudʁɛ/

Annexes

Le trapèze articulatoire des voyelles du français

106-108

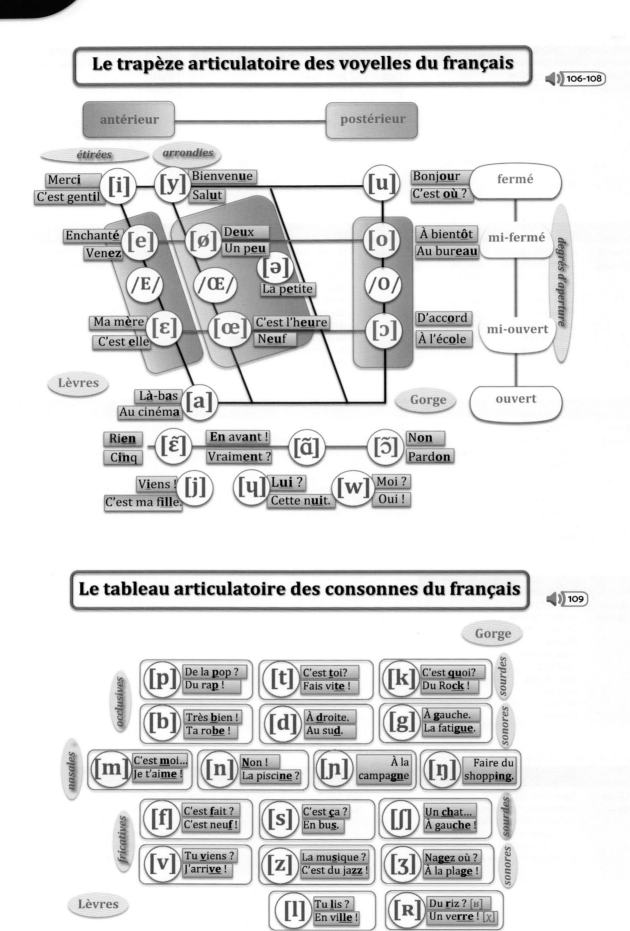

Le tableau articulatoire des consonnes du français

109

On prononce	Ça s'écrit	Par exemple
[a]	a – à – â – e	café – **à** – thé**â**tre – f**e**mme
[i]	i – y – î – ï	riz – curr**y** – d**î**ner – ma**ï**s
[y]	u – û	voit**u**re – s**û**r
[u]	ou – où – oû – aoû	t**ou**riste – **où** – c**oû**ter – **aoû**t
[e]	é – er – ez	th**é** – premi**er** – buv**ez**
[ɛ]	e+C* – è+C – ai+C – ei+C	m**e**rci – r**è**gle – banc**ai**re – s**ei**ze
[ɛ] ou [e]	ê – ai – et – ay – ey	arr**êt** – voudr**ai**t – tick**et** – tramw**ay** – Ashl**ey**
[ɔ]	o – oo – u	r**o**be – alc**oo**l – for**u**m
[o]	o – ô – au – eau	métr**o** – bient**ô**t – ch**au**d – b**eau**
[ø]	eu – œu	d**eu**x – **œu**fs
[œ]	eu – œu – œ	h**eu**re – s**œu**r – **œ**il
[ə]	e – ai – on	sam**e**di – f**ai**sais – m**on**sieur
[ɑ̃]	an – am – en – em	étr**an**ger – ch**am**bre – d**en**tiste – print**em**ps
[ɛ̃]	in – im – ain – ein – ym – un – en – i+en – é+en	**in**vité – t**im**bre – dem**ain** – pl**ein** – s**ym**pathique br**un** – exam**en** – b**ien**tôt – europ**éen**
[ɔ̃]	on – om	avi**on** – n**om**bre
[j]	i – y – i+l – i+ll – ï	dern**i**er – pa**y**er – trava**il** – boute**ill**e – tha**ï**
[w]	w – oi – oî – oin – oy – ou	**w**eek-end– s**oi**r – b**oî**te – l**oin** – env**oy**er – **ou**i
[ɥ]	u+i – u+y	h**ui**t – ennu**y**eux
[p]	p – pp	cham**p**agne – envelo**pp**e
[b]	b	ta**b**le
[f]	f – ff – ph	pro**f**esseur – di**ff**icile – télé**ph**one
[v]	v – w	**v**oiture – **W**C
[t]	t – th	spor**t**if – **th**é
[d]	d – dd	ai**d**er – a**dd**ition
[s]	s – ss – c+i/e ç – t+ion	**s**oir – me**ss**age – spé**c**ialité – vacan**c**es fran**ç**ais – invita**tion**
[z]	z – s	**z**éro – mai**s**on
[ʃ]	ch	dou**ch**e
[ʒ]	j – g+i – g+e – g+y	dé**j**euner – ré**g**ion – froma**g**e – **g**ymnastique
[k]	c – cc – qu k – ck – ch	vo**c**abulaire – d'a**cc**ord – uni**qu**e stea**k** – pa**ck** – or**ch**estre
[ks]	cc – xc – x	a**cc**ès – e**xc**ellent – e**x**cuse
[g]	g – gu	**g**are – fati**gu**e
[gz]	x	e**x**emple
[m]	m – mm	fa**m**ille – po**mm**e
[n]	n – nn	**n**oir – a**nn**ée
[ɲ]	gn	champa**gn**e
[ŋ]	ng	joggi**ng** –shoppi**ng**
[ʁ]	r – rr	c**r**ème – beu**rr**e
[l]	l – ll	se**l** – vi**ll**e

*C = consonne prononcée

Annexes

MOT	NATURE	API	LEÇON
à bientôt	(adv.)	[bjɛ̃to], /abjɛ̃to/	7
à cheval	(n. m.)	[ʃ(ə)val], /aʃ(ə)val/	9
à côté de	(pré.)	[akotedə]	1
à pied	(cons. adv.)	[apje]	9
abandonner	(v.)	[abɑ̃dɔne]	6
accent	(n. m.)	[aksɑ̃]	0
activité	(n. f.)	[aktivite]	9
adorer	(v.)	[adɔʁe]	4
adresse e-mail	(n. f.)	[adʁɛsimɛl]	3
aimer	(v.)	[eme]	4
allemand(e)	(n. m./f., adj.)	[al(ə)mɑ̃(d)]	2
aller	(v.)	[ale]	0, 5
alors	(adv.)	[alɔʁ]	4
américain(e)	(n. m./f., adj.)	[ameʁikɛ̃/ɛn]	2
ami(e)	(n. m./f.)	[ami]	5
amusant(e)	(adj.)	[amyzɑ̃/t]	6
ancien, ienne	(adj.)	[ɑ̃sjɛ̃/ɛn]	7
animal de compagnie	(n. m.)	[animaldəkɔ̃paɲi]	6
animal domestique	(n. m.)	[animaldɔmɛstik]	6
appartement	(n. m)	[apaʁtəmɑ̃]	6
après	(prép.)	[apʁɛ]	10
après-midi	(n. m./f.)	[apʁɛmidi]	10
arobase	(n. f.)	[aʁɔbaz]	3
arriver	(v.)	[aʁive]	11
article	(n. m.)	[aʁtikl]	5
artiste	(n. m./f.)	[aʁtist]	2
au centre	(cons. adv.)	[sɑ̃tʁ], /osɑ̃tʁ/	7
aussi	(adv.)	[osi]	2
avec	(prép.)	[avɛk]	5
avec plaisir	(n. m.)	[pleziʁ], /avɛkpleziʁ/	12
avion	(n. m.)	[avjɔ̃]	11
avocat(e)	(n.m./f.)	[avɔka/t]	2
avoir	(v.)	[avwaʁ]	6
banlieue	(n. f./f.)	[bɑ̃ljø]	8
banque	(n. f.)	[bɑ̃k]	2
base-ball	(n. m.)	[bɛzbol]	4
basket	(n. m.)	[baskɛt]	4
bateau	(n. m.)	[bato]	9
beau, belle	(adj.)	[bo],[bɛl]	7
beaucoup	(adv.)	[boku]	4
belge	(n. m./f., adj.)	[bɛlʒ]	2
bien	(adv.)	[bjɛ̃]	0
bien sûr	(interj.)	/bjɛ̃syʁ/	3
bientôt	(adv.)	[bjɛ̃to]	5
bienvenue	(n. f.)	[bjɛ̃vəny]	0
bière	(n. f.)	[bjɛʁ]	9
billet	(n. m.)	[bijɛ]	11

blanc	(adj.)	[blɑ̃]	9
bœuf	(n. m.)	[bœf]	9
boîte de nuit	(n. f.)	/bwatdənɥi/	5
bonjour	(interj.)	[bɔ̃ʒuʁ]	0
bonsoir	(interj.)	[bɔ̃swaʁ]	1
boucherie	(n. f.)	[buʃʁi]	8
boulangerie	(n. f.)	[bulɑ̃ʒʁi]	8
bricolage	(n. m.)	[bʁikɔlaʒ]	10
bruyant(e)	(adj.)	[bʁɥijɑ̃/t]	6
bureau	(n. m.)	[byʁo]	11
bus	(n. m.)	[bys]	11
ça	(pron.)	[sa]	0
café	(n. m.)	[kafe]	2
campagne	(n. f.)	[kɑ̃paɲ]	10
carte	(n. f.)	[kaʁt]	2
carte bleue	(n. f.)	/kaʁtəblø/	11
carte de visite	(n. f.)	/kaʁtdəvizit/	3
cassoulet	(n. m.)	[kasulɛ]	9
célèbre	(adj.)	[selɛbʁ]	7
centre commercial	(n. m.)	[sɑ̃tʁkɔmɛʁsjal]	8
centre-ville	(n. m.)	[sɑ̃tʁəvil]	8
chaîne	(n. f.)	[ʃɛn]	4
chambre	(n. f.)	[ʃɑ̃bʁ]	8
chat	(n. m.)	[ʃa]	6
château	(n. m.)	[ʃɑto]	7
cher, chère	(adj.)	[ʃɛʁ]	6
chien	(n. m.)	[ʃjɛ̃]	6
chinois(e)	(n. m./f., adj.)	[ʃinwa/z]	2
chocolat	(n. m.)	[ʃɔkɔla]	9
cidre	(n. m.)	[sidʁ]	9
cinéma	(n. m.)	[sinema]	4
cinq	(num.)	[sɛ̃k]	3
cinquante	(num.)	[sɛ̃kɑ̃t]	11
classique	(adj.)	[klasik]	4
client	(n. m.)	[klijɑ̃]	11
commencer	(v.)	[kɔmɑ̃se]	11
comment	(adv.)	[kɔmɑ̃]	0
commerce	(n. m.)	[kɔmɛʁs]	8
commissariat de police	(n. m.)	/kɔmisaʁjadəpolis/	8
concert	(n. m.)	[kɔ̃sɛʁ]	5
connaître	(v.)	[kɔnɛtʁ]	1
connu(e)	(adj.)	[kɔny]	7
console de jeux vidéos	(n. f.)	[kɔ̃sɔldəʒøvideo]	6
coréen(ne)	(n. m./f., adj.)	[kɔʁeɛ̃/n]	4
courses	(n. f.plr.)	[kuʁs]	10
cuisine	(n. f.)	[kɥizin]	8
cuisinier/ère	(n. m./f.)	[kɥizinje/ɛʁ]	2
d'accord	(adj./adv.)	[dakɔʁ]	5

dans	(prép.)	[dɑ̃]	1, 8
déjeuner	(n. m./v.)	[deʒœne]	11
demain	(adv.)	[dəmɛ̃]	11
demie	(n. f.)	[dəmi]	11
dentiste	(n. m./f.)	[dɑ̃tist]	3
derrière	(prép./adv.)	[dɛʁjɛʁ]	8
désolé	(adj.)	[dezole]	3
dessin animé	(n. m.)	/desɛ̃anime/	4
détester	(v.)	[detɛste]	4
deux	(num.)	[dø]	3
devant	(prép./adv.)	[dəvɑ̃]	8
devoir	(n. m./v.)	[dəvwaʁ]	12
dimanche	(n. m.)	[dimɑ̃ʃ]	10
dire	(v.)	[diʁ]	0
discothèque	(n. f.)	[diskotɛk]	5
disponible	(adj.)	[disponibl]	10
dix	(num.)	[dis]	3
documentaire	(n. m.)	[dokymɑ̃tɛʁ]	4
douze	(num.)	[duz]	12
droite	(n. f./adj./adv.)	[dʁwat]	8
école	(n. f.)	[ekɔl]	8
écouter	(v.)	[ekute]	5
écrire	(v.)	[ekʁiʁ]	0
écrivain(e)	(n. m./f.)	[ekʁivɛ̃/ɛn]	2
église	(n. f.)	[egliz]	8
eh bien	(interj.)	[ebjɛ̃]	5
elle	(pron. f.)	[ɛl]	1
embrasser	(v.)	[ɑ̃bʁase]	7
en	(prép.)	[ɑ̃]	0
en face de	(prép.)	/ɑ̃fasdə/	8
en général	(adv.)	/ɑ̃ʒeneʁal/	5
en particulier	(adv.)	/ɑ̃paʁtikylje/	5
enchanté(e)	(adj.)	[ɑ̃ʃɑ̃te]	0
ennuyeux/se	(adj.)	[ɑ̃nɥijø/z]	6
enquête	(n. f.)	[ɑ̃kɛt]	5
entre	(prép./adv.)	[ɑ̃tʁ]	7
est	(v. être)	[ɛ]	7
et	(conj.)	[e]	1
être	(v.)	[ɛtʁ]	2
étudiant(e)	(n. m./f., adj.)	[etydjɑ̃/t]	2
étudier	(v.)	[etydje]	5
examen	(n. m.)	[ɛgzamɛ̃]	5, 12
excuser	(v.)	[ɛkskyze]	0
excusez-moi	(v. s'excuser)	/ɛkskyzemwa/	3
exposition	(n. f.)	[ɛkspozisjɔ̃]	12
faire	(v.)	[fɛʁ]	2
famille	(n. f.)	[famij]	6
fan	(n. m.)	[fan]	5
fatigué	(adj.)	[fatige]	5

film	(n. m.)	[film]	4, 10
finir	(v.)	[finiʁ]	11
fondue	(n. f.)	[fɔ̃dy]	9
français	(n. m./adj.)	[fʁɑ̃sɛ]	0
frites	(n. f. plur.)	[fʁit]	9
fromage	(n. m.)	[fʁomaʒ]	9
fruits de mer	(n. m. plur.)	/fʁɥidəmɛʁ/	9
gare	(n. f.)	[gaʁ]	8
gauche	(n. f./adj./adv.)	[goʃ]	8
génial(e)	(adj.)	[ʒenjal]	6
genre	(n. m.)	[ʒɑ̃ʁ]	4
gentil	(adj.)	[ʒɑ̃ti]	12
grand(e)	(adj.)	[gʁɑ̃/d]	6
grave	(adj.)	[gʁav]	0
habiter	(v.)	[abite]	1
hamster	(n. m.)	[amstɛʁ]	6
heure	(n. f.)	[œʁ]	10
hôpital	(n. m.)	[ɔpital]	3, 8, 3
huit	(num.)	[ɥit]	
ici	(adv.)	[isi]	8
idée	(n. f.)	[ide]	10
indien(ne)	(n. m./f., adj.)	[ɛ̃djɛ̃/ɛn]	4
ingénieur	(n. m.)	[ɛ̃ʒenjœʁ]	10
italien(ne)	(n. m./f., adj.)	[italjɛ̃/en]	2
japonais(e)	(n. m./f., adj.)	[ʒaponɛ/z]	2
jardinage	(n. m.)	[ʒaʁdinaʒ]	5
jazz	(n. m.)	[dʒaz]	4
je	(pron. s.)	[ʒə]	0
je vous en prie	(interj.)	/ʒəvuzɑ̃pʁi/	8
jeu vidéo	(n. m.)	/ʒøvideo/	4
jeudi	(n. m.)	[ʒødi]	10
jeune	(n. m./adj.)	[ʒœn]	5
jogging	(n. m.)	[dʒɔgin]	5
joli	(adj.)	[ʒɔli]	7
jouer	(v.)	[ʒwe]	5
jour	(n. m.)	[ʒuʁ]	10
journaliste	(n. m.)	[ʒuʁnalist]	2
là-bas	(adv.)	[laba]	8
libre	(adj.)	[libʁ]	10
liquide	(n. m./adj.)	[likid]	11
lire	(v.)	[liʁ]	5
littérature	(n. f.)	[liteʁatyʁ]	4
loin de	(prép.)	/lwɛ̃də/	8
loisir	(n. m.)	[lwaziʁ]	5
louer	(v.)	[lwe]	10
lui	(pron. s.)	[lɥi]	1
lundi	(n. m.)	[lœ̃di]	10
madame	(n. f. s.)	[madam]	1
magasin	(n. m.)	[magazɛ̃]	2

magnifique	(adj.)	[maɲifik]	7
mairie	(n. f.)	[mɛʁi]	8
maison	(n. f.)	[mɛzɔ̃]	5
majuscule	(n. f.)	[maʒyskyl]	3
mannequin	(n. m.)	[mankɛ̃]	2
marché	(n. m.)	[maʁʃe]	10
marcher	(v.)	[maʁʃe]	11
mardi	(n. m.)	[maʁdi]	10
match	(n. m.)	[matʃ]	12
matin	(n. m.)	[matɛ̃]	10
médecin	(n. m.)	[medsɛ̃]	2
mer	(n. f.)	[mɛʁ]	10
merci	(interj.)	[mɛʁsi]	0
mercredi	(n. m.)	[mɛʁkʁədi]	10
métro	(n. m.)	[metʁo]	8
minuscule	(n. f.)	[minyskyl]	3
moderne	(adj.)	[mɔdɛʁn]	7
moi	(pron. s.)	[mwa]	0
moins	(adv.)	[mwɛ̃]	3
mon, ma	(dét.)	[mɔ̃],[ma]	2
monsieur	(n. m.)	[məsjø]	1
mont	(n. m.)	[mɔ̃]	7
montagne	(n. f.)	[mɔ̃taɲ]	10
monument historique	(n. m.)	/mɔnymɑ̃istɔʁik/	9
moto	(n. f.)	[moto]	6
musée	(n. m.)	[myze]	9
musicien(ne)	(n. m./f.)	[myzisjɛ̃/ɛn]	2
musique	(n. f.)	[myzik]	3
nager	**(v.)**	**[naʒe]**	**9**
natation	(n. f.)	[natasjɔ̃]	4
nationalité	(n. f.)	[nasjɔnalite]	2
neuf	(num.)	[nœf/v]	3
non	(n. m.)	[nɔ̃]	4
nord	(n. m.)	[nɔʁ]	7
noter	(v.)	[note]	3
nouveau	(adj. m.)	[nuvo]	1
nuit	(n. f.)	[nɥi]	10
numéro	(n. m.)	[nymeʁo]	3
oiseau	**(n. m.)**	**[wazo]**	**6**
on	(pron. s.)	[ɔ̃]	0
onze	(num.)	[ɔ̃z]	3
opéra	(n. m.)	[ɔpeʁa]	4
ordinateur	(n. m.)	[ɔʁdinatœʁ]	5
ordinateur portable	(n. m.)	/ɔʁdinatœʁpɔʁtabl/	6
où	(adv.)	[u]	1
ouest	(n. m.)	[wɛst]	7
ours en peluche	(n. m.)	/uʁsɑ̃pəlyʃ/	6
ouvrier	(n. m.)	[uvʁije]	10

parc	**(n. m.)**	**[paʁk]**	**8**
pardon	(interj./n.m.)	[paʁdɔ̃]	0
parking	(n. m.)	[paʁkiŋ]	8
partir	(v.)	[paʁtiʁ]	11
pas	(adv.)	[pɑ]	0
peintre	(n. m.)	[pɛ̃tʁ]	2
personne âgée	(n. f.)	/pɛʁsɔnaʒe/	5
petit(e)	(adj.)	[pəti/t]	6
pharmacie	(n. f.)	[faʁmasi]	8
pièce	(n. f.)	[pjɛs]	12
piscine	(n. f.)	[pisin]	10
place	(n. f.)	[plas]	3
plage	(n. f.)	[plaʒ]	9
plongée	(n. f.)	[plɔ̃ʒe]	9
point	(n. m.)	[pwɛ̃]	3
poisson	(n. m.)	[pwasɔ̃]	9
poisson rouge	(n. m.)	/pwasɔ̃ʁuʒ/	6
pont	(n. m.)	[pɔ̃]	7
pop	(adj.)	[pɔp]	4
portable	(n.m./adj.)	[pɔʁtabl]	3
possible	(adj.)	[pɔsibl]	10
poste	(n. f.)	[pɔst]	2
pourquoi	(adv.)	[puʁkwa]	12
pouvoir	(v.)	[puvwaʁ]	0, 10
pratique	(adj.)	[pʁatik]	6
préférer	(v.)	[pʁefeʁe]	4
première	(num. ord.)	[pʁəmjɛʁ]	11
près de	(prép.)	/pʁɛdə/	7
professeur(e)	(n. m./f.)	[pʁɔfɛsœʁ]	2
profession	(n. f.)	[pʁɔfɛsjɔ̃]	2
promenade	(n. f.)	[pʁɔmnad]	9
propre	(adj.)	[pʁɔpʁ]	6
publicité	(n. f.)	[pyblisite]	5
qu'est-ce que	**(adv.)**	**/kɛskəse/**	**2**
quai	(n. m.)	[ke]	3
quarante	(num.)	[kaʁɑ̃t]	11
quart	(n. m.)	[kaʁ]	11
quartier	(n. m.)	[kaʁtje]	1, 8
quatorze	(num.)	[katɔʁz]	3
quatre	(num.)	[katʁ]	3
quelle chance	(interj.)	[kɛlʃɑ̃s]	7
quinze	(num.)	[kɛ̃z]	3
quoi	(pron. m. s.)	[kwa]	2, 7
rap	**(n. m.)**	**[ʁap]**	**4**
ravi	(adj.)	[ʁavi]	1
région	(n. f.)	[ʁeʒjɔ̃]	9
régional(e)	(adj.)	[ʁeʒjɔnal]	9
rempart	(n. m.)	[ʁɑ̃paʁ]	9
rendez-vous	(n. m.)	[ʁɑ̃devu]	11

Mot	Classe	Prononciation	Unité
rentrer	(v.)	[ʀɑ̃tʀe]	11
répéter	(v.)	[ʀepete]	0
réservation	(n. f.)	[ʀezɛʀvasjɔ̃]	11
restaurant	(n. m.)	[ʀɛstɔʀɑ̃]	2
rester	(v.)	[ʀɛste]	5
retraité(e)	(n. m./f.)	[ʀətʀete]	2
réunion	(n. f.)	[ʀeynjɔ̃]	11
rien	(pron. m. s.)	[ʀjɛ̃]	5
riz	(n. m.)	[ʀi]	9
rock	(n. m.)	[ʀɔk]	4
rouge	(adj.)	[ʀuʒ]	9
rue	(n. f.)	[ʀy]	3
rugby	(n. m.)	[ʀygbi]	4
russe	(n. m./f./adj.)	[ʀys]	2
s'appeler	(v. tr.)	[saple]	0
s'il vous plaît	(interj.)	/silvuplɛ/	0
sale	(adj.)	[sal]	6
salle de bains	(n. m.)	/saldəbɛ/	8
salut	(interj./n. m.)	[saly]	1
samedi	(n. m.)	[dimɑ̃ʃ]	10
savoir	(v.)	[savwaʀ]	0
seconde	(num. ord.)	[səgɔ̃d]	11
secrétaire	(n. m./f.)	[səkʀetɛʀ]	10
seize	(num.)	[sɛz]	3
senior	(n. m.)	[senjɔʀ]	5
sept	(num.)	[sɛt]	3
série télévisée	(n. f.)	/seʀitelevize/	4
sérieux/se	(adj.)	[seʀjø/z]	5
serveur/se	(n. m./f.)	[sɛʀvœr/z]	2
shopping	(n. m.)	[ʃɔpiŋ]	5
si	(adv.)	[si]	7
six	(num.)	[sis]	3
ski	(n. m.)	[ski]	9
soir	(n. m.)	[swaʀ]	5
sortir	(v.)	[sɔʀtiʀ]	5
spécialité	(n. f.)	[spesjalite]	9
sport	(n. m.)	[spɔʀ]	4
station	(n. f.)	[stasjɔ̃]	8
statue	(n. f.)	[statɥ]	7
sud	(n. m.)	[syd]	7
supermarché	(n. m.)	[sypɛʀmaʀʃe]	8
sur	(prép.)	[syʀ]	8
surf	(n. m.)	[sœʀf]	4
surfer	(v.)	[sœʀfe]	5
tablette numérique	(n. f.)	/tablɛtnymeʀik/	6
tard	(adv.)	[taʀ]	11
taxi	(n. m.)	[taksi]	11
téléphone	(n. m.)	[telefɔn]	4
télévision	(n. f.)	[televizjɔ̃]	4
tennis	(n. m.)	[tenis]	4
théâtre	(n. m.)	[teatʀ]	4
tiens/tenez	(v.)	[tjɛ̃/təne]	3
tiret	(n. m.)	[tiʀɛ]	3
toi	(pron. s.)	[twa]	1
toilettes	(n. f. plr.)	[twalɛt]	8
tortue	(n. f.)	[tɔʀty]	6
tour	(n. f.)	[tuʀ]	7, 12
tourisme	(n. m.)	[tuʀism]	9
train	(n. m.)	[tʀɛ̃]	11
tramway	(n. m.)	[tʀamwɛ]	11
transport en commun	(n. m.)	/tʀɑ̃spɔʀɑ̃kɔmœ̃/	11
travailler	(v.)	[tʀavaje]	10
treize	(num.)	[tʀɛz]	3
tréma	(n. m.)	[tʀema]	0
trente	(num.)	[tʀɑ̃t]	11
très	(adv.)	[tʀɛ]	0, 7
trois	(num.)	[tʀwɑ]	3
tu	(pron. s.)	[ty]	1
un	(dét./num.)	[œ̃]	3
université	(n. f.)	[ynivɛʀsite]	1
utiliser	(v.)	[ytilize]	5
vacances	(n .f. plr.)	[vakɑ̃s]	10
vélo	(n. m.)	[velo]	4
vendredi	(n. m.)	[vɑ̃dʀədi]	10
verre	(n. m.)	[vɛʀ]	12
vers	(prép.)	[vɛʀ]	11
vie	(n. f.)	[vi]	2
vieux, vieille	(adj.)	[vjø],[vjɛj]	6
ville	(n. f.)	[vil]	7
vin	(n. m.)	[vɛ̃]	9
vingt	(num.)	[vɛ̃]	3
visiter	(v.)	[vizite]	9
vite	(adj.)	[vit]	3
voici	(prép.)	[vwasi]	0, 2
voilà	(prép.)	[vwala]	3
voir	(v.)	[vwaʀ]	5
voiture	(n. f.)	[vwatyʀ]	6
vouloir	(v.)	[vulwaʀ]	6
vous	(pron. s.)	[vu]	0
vraiment	(adv.)	[vʀɛmɑ̃]	5
week-end	(n. m.)	[wikɛnd]	5
zéro	(n. m.)	[zeʀo]	3

La France touristique

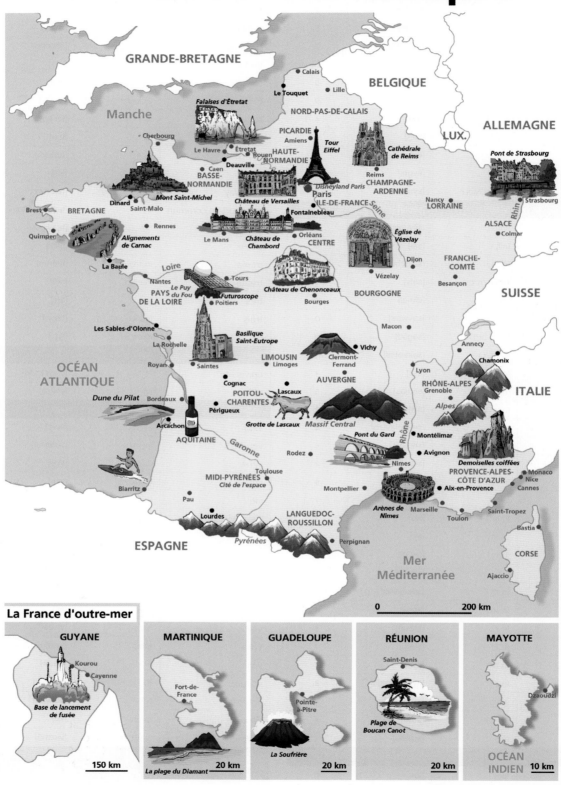

La France d'outre-mer

GUYANE

MARTINIQUE

GUADELOUPE

RÉUNION

MAYOTTE

Leçon 0

1. Écoutez et répétez.
– Bonjour, je m'appelle Céline Thomas.
– Moi, je m'appelle Nicolas Dubois.
– Enchantée Nicolas !
– Enchanté Céline !

2. Écoutez et répétez.
– Julien, voici Céline !
– Enchanté, Céline !
– Enchantée, Julien !

3. Écoutez et répétez.
– Comment allez-vous, Julien ?
– Très bien, et vous Céline, ça va ?
– Ça va.

4. Écoutez et répétez.
– Je m'appelle Christophe Leroy.
– Pardon, ça s'écrit comment « Leroy » ?
– L-E-R-O-Y
– Vous pouvez répéter, s'il vous plaît ?
– L-E-R-O-Y
– Merci.

5. Écoutez et écrivez.
Exemple : Je m'appelle Jean.
Ça s'écrit J-E-A-N.
1. – Je m'appelle Camille. Ça s'écrit
C-A-M-I-deux L-E.
– Vous pouvez répéter, s'il vous plaît ?
– Oui, C-A-M-I-deux L-E.
2. – Je m'appelle Thierry. Ça s'écrit
T-H-I-E-deux R-Y.
– Vous pouvez répéter, s'il vous plaît ?
– Oui, T-H-I-E-deux R-Y.
3. – Je m'appelle Julie. Ça s'écrit J-U-L-I-E.
– Vous pouvez répéter, s'il vous plaît ?
– Oui, J-U-L-I-E.
4. – Je m'appelle Loïc. Ça s'écrit L-O-I tréma-C.
– Vous pouvez répéter, s'il vous plaît ?
– Oui, L-O-I tréma-C.
5. – Je m'appelle Hélène. Ça s'écrit H-E
accent aigu-L-E accent grave-N-E. – Vous
pouvez répéter, s'il vous plaît ?
– Oui, H-E accent aigu-L-E accent grave-N-E.

6. Écoutez et répétez.
– Excusez-moi, comment dit-on « welcome »
en français ?
– On dit « bienvenue ».
– Ça s'écrit comment ?
– B-I-E-N-V-E-N-U-E
– Merci.

– Excusez-moi, comment dit-on « welcome »
en français ?
– Je ne sais pas.

UNITÉ 1 – Rencontres

Leçon 1

1. (1) Répétez après votre professeur.
(2) Écoutez l'enregistrement et
entourez ce que vous entendez.
1. [i] → [e] → [ɛ] → [a]
2. [a] → [ɛ] → [e] → [i] → [y] → [ø] → [œ]
3. [a] → [ɔ] → [o] → [u]
4. [u] → [o] → [ɔ] → [a]
5. [i] → [e] → [ɛ] → [a]
6. [a] → [ɛ] → [e] → [i] → [y] → [ø] → [œ]
7. [a] → [ɔ] → [o] → [u]
8. [u] → [o] → [ɔ] → [a]

3. Écoutez et imitez.
– Bonsoir Madame.
– Bonsoir Monsieur.
– Je m'appelle Jean Moreau. Et vous,
comment vous appelez-vous ?
– Moi, c'est Isabelle Martin, enchantée.
– Salut ! Tu t'appelles comment ?
– Julie. Et toi ?
– Moi, c'est Alexandre.
– Tu habites où, Alexandre ?
– J'habite à côté de l'université.

6. Écoutez, notez les groupes de syllabes comme dans l'exemple puis lisez à voix haute.
Exemple : Bonjour Madame, je suis ravi
de faire votre connaissance.
1. Bonjour.
2. Bonjour Monsieur.
3. Bonjour Monsieur, ravi de vous connaître.
4. Bonjour Monsieur, ravi de faire votre
connaissance.

11. Écoutez et écrivez.
– Salut, Léo. Le nouveau, il s'appelle
comment ?
– Salut Julie. Il s'appelle Alex.
– Et il habite où ?
– Il habite à côté de l'université.
– OK.

16. Prononcez, puis écoutez et répétez.
1. /pa/, /ta/, /ka/, /ba/, /da/, /ga/, /fa/, /sa/,
/ʃa/, /va/, /za/, /ʒa/, /ma/, /na/,
/la/, /ʁa/.
2. /pø/, /tø/, /kø/, /bø/, /dø/, /gø/, /fø/, /sø/,
/ʃø/, /vø/, /zø/, /ʒø/, /mø/, /nø/, /lø/, /ʁø/.
3. /py/, /ty/, /ky/, /by/, /dy/, /gy/, /fy/, /sy/,
/ʃy/, /vy/, /zy/, /ʒy/, /my/, /ny/, /ly/, /ʁy/.

17. Regardez la vidéo et répondez.
ÉRIC : Bonjour Christophe ! Comment allez-
vous ?
CHRISTOPHE : Ah ! Bonjour Éric, très bien,
merci. Et vous, ça va ?
ÉRIC : Pas mal.
Salut Maxime, ça va ?
MAXIME : Ça va, et toi ?
CHRISTOPHE : Bonjour Maxime.
ÉRIC : Tiens, bonjour Sophie !
SOPHIE : Bonjour Éric.
ÉRIC : Christophe, je vous présente Sophie,
notre nouvelle voisine.
CHRISTOPHE : Ah bon ! Enchanté, Sophie.
Vous habitez dans le quartier ?
SOPHIE : Oui, j'habite à côté. (elle montre
une porte)
CHRISTOPHE : Eh bien bienvenue, Sophie !
SOPHIE : Merci, Christophe. Ravie de faire
votre connaissance.
CHRISTOPHE : À bientôt, Sophie. À bientôt
Éric. Au revoir Maxime. Bonne journée !

SOPHIE : Oui, à bientôt, Christophe.
ÉRIC : Au revoir, Christophe. Bonne journée !
ÉRIC : Sophie, on se tutoie ?
SOPHIE : Avec plaisir. (ils trinquent) Mmmh !
ÉRIC : Servez-vous !

Leçon 2

1. (1) Répétez après votre professeur.
(2) Écoutez l'enregistrement et
entourez ce que vous entendez.
1. chinois, hongrois, québécois.
2. américain, indien, coréen.
3. anglais, français, japonais.
4. américaine, indienne, coréenne.
5. anglaise, française, japonaise.
6. chinoise, hongroise, québécoise.

3. Écoutez et imitez.
– Vous êtes français ?
– Oui, et vous ?
– Moi aussi. Qu'est-ce que vous faites dans
la vie ?
– Je suis journaliste. Voici ma carte.

– Tu es française ?
– Non, je suis américaine.
– Et tu fais quoi dans la vie ?
– Je suis avocate, et toi ?

6. Écoutez, notez les groupes de syllabes comme dans l'exemple puis lisez à voix haute.
Exemple : E/lle es/t an/glaise/ et/ e/lle es/t
ar/tiste.
1. Il est étudiant.
2. Elle est étudiante.
3. Il est australien et il est avocat.
4. Elle est américaine et elle est médecin.

11. Écoutez et écrivez.
Ma voisine s'appelle Audrey. Elle habite en
France mais elle est belge. Elle est étudiante.

17. Écoutez et répondez. Puis complétez les documents.
RÉCEPTIONNISTE : Bonsoir Monsieur.
M. LAMBERT : Bonsoir. J'ai une réservation
au nom de Lambert.
RÉCEPTIONNISTE : Bien sûr, Monsieur.
Remplissez cette fiche, s'il vous plaît.
M. LAMBERT : Voilà !
RÉCEPTIONNISTE : Merci Monsieur.
Excusez-moi, quelle est votre profession ?
M. LAMBERT : Je suis médecin.
M. GARNIER : Pardon Monsieur, vous êtes
médecin ?
M. LAMBERT : Oui. Pourquoi ?
M. GARNIER : Moi aussi, je suis médecin. Je
m'appelle Frédéric Garnier. Voici ma carte !
M. LAMBERT : Moi, c'est Jean Lambert.
M. GARNIER : Ravi de faire votre
connaissance ! Tiens, vous habitez à Lyon ?
M. LAMBERT : Oui, oui.
M. GARNIER : Moi aussi ! Et vous êtes
français ?
M. LAMBERT : Oui, et vous ?
M. GARNIER : Non. Moi, je suis belge.
M. LAMBERT : Ah oui ?
CLIENTE : Excusez-moi, Mademoiselle...

Annexes

RÉCEPTIONNISTE : Oui, Madame ? Tout va bien ?
CLIENTE : Non, ça ne va pas... j'ai mal à la tête... Il y a un médecin à l'hôtel ?

Leçon 3

1. (1) Répétez après votre professeur. (2) Écoutez l'enregistrement et entourez ce que vous entendez.
1. son
2. ta
3. mot
4. va
5. ma
6. cent

3. Écoutez et imitez.
– Excusez-moi, vous avez une carte de visite ?
– Non, mais voici mon adresse e-mail : garnier04 arobase orange point fr.
– Je note... garnier04... désolé, vous pouvez répéter moins vite s'il vous plaît ?
– Bien sûr, garnier04 arobase orange point fr.

– Excuse-moi... tu as un numéro de portable ?
– Oui, c'est le 06 09 12 07 10.
– Le 06 09 quoi ? Tu peux répéter ?
– 06 09 12 07 10.
– C'est noté, merci !

6. Écoutez, notez les groupes de syllabes comme dans l'exemple puis lisez à voix haute.
Exemple : I/l ha/bi/te au/ trois/ place/ du/ Mo/lard, / à/ Ge/nève.
1. J'habite à Paris.
2. J'habite quai Saint-Michel, à Paris.
3. J'habite au 6 quai Saint-Michel, à Paris.
4. J'habite au 6 quai Saint-Michel, à Paris, en France.

11. Écoutez et écrivez.
Romain Roux travaille dans un restaurant.
Son adresse e-mail, c'est r tiret roux arobase orange point fr.
Voici son numéro de téléphone,
c'est le 06 11 08 10 09.

17. Écoutez et répondez.
SOPHIE MOREL : Tiens ! Nicolas Gautier !
NICOLAS GAUTIER : Mais c'est Sophie Morel !
SOPHIE MOREL : Comment vas-tu ?
NICOLAS GAUTIER : Ça fait longtemps ! Moi ça va très bien, et toi ?
SOPHIE MOREL : Super ! Qu'est-ce que tu fais, maintenant ? Tu es peintre ?
NICOLAS GAUTIER : Non, je suis journaliste. Et toi ?
SOPHIE MOREL : Moi, je suis artiste !
SERVEUR : Champagne, messieurs-dames ?
NICOLAS GAUTIER : Oui, volontiers. (*il prend des coupes de champagne*) Merci beaucoup. Santé ! (ils trinquent) Dis, je n'ai pas tes coordonnées.
SOPHIE MOREL : Tiens, voilà ma carte. Et mon numéro de portable, c'est le 06 19 12 07 06.
NICOLAS GAUTIER : OK, je note.

SOPHIE MOREL : Moi non plus, je n'ai pas tes coordonnées... Tu n'as pas une carte ?
NICOLAS GAUTIER : Euh... non, elles sont au bureau...
SOPHIE MOREL : C'est pas grave. Tu as une adresse e-mail ?
NICOLAS GAUTIER : Oui, bien sûr. C'est ngautier tiret seize arobase orange point fr.
SOPHIE MOREL : Attends... Tu peux répéter moins vite, s'il te plaît ?
NICOLAS GAUTIER : ngautier tiret seize arobase orange point fr. Et mon numéro de portable, c'est le 06 14 11 07 18. C'est bon ?
SOPHIE MOREL : 06 14 11 07 18. OK ! C'est bon !
MONICA : Bonsoir...
NICOLAS GAUTIER : Monica ! Viens, je te présente. Monica, voici Sophie. Sophie, Monica, ma fiancée. Monica est italienne.
SOPHIE MOREL : Enchantée.
MONICA : Enchantée.
SOPHIE MOREL : Vous parlez français, Monica ?
MONICA : Oui, bien sûr.
NICOLAS GAUTIER : C'est beau, non ?

UNITÉ 2 – Envies

Leçon 4

1. (1) Répétez après votre professeur. (2) Écoutez l'enregistrement et entourez ce que vous entendez.
1. J'aime l'opéra.
2. C'est dans la rue.
3. Il y a *Carmen* ?
4. Tu aimes le sport ?
5. C'est à Paris.

3. Écoutez et imitez.
– Quel genre de musique est-ce que vous aimez, Stéphanie ?
– Oh, j'aime bien l'opéra français, surtout *Carmen*, mais j'aime aussi la pop anglaise.
– Et vous aimez le jazz ?
– Ah non, je déteste ça !

– Alors, est-ce que tu aimes le tennis ?
– Bof... je n'aime pas beaucoup ça...
– Alors, euh... quel sport est-ce que tu aimes ?
– J'aime beaucoup le surf. Et aussi la natation.

6. Écoutez, faites comme dans l'exemple, puis lisez à voix haute.
Exemple : Tu aimes ça ? Oui, j'aime ça !
1. Tu aimes les films ?
2. J'aime bien les films.
3. Tu aimes bien le cinéma ?
4. Oui, j'aime surtout les films français.
5. Et vous ? Qu'est-ce que vous préférez ?

11. Écoutez et écrivez.
Sondage : les activités culturelles des Français
La télévision est l'activité culturelle préférée des Français.
Ils aiment beaucoup la littérature et la musique.

Ils préfèrent la musique pop française, mais ils aiment aussi la musique classique.
Ils apprécient aussi le cinéma et le théâtre.

17. Écoutez et répondez.
Mme MARTIN : Mathieu, qu'est-ce qu'il y a à la télévision ?
M. MARTIN : Aurélie, tu as la télécommande, s'il te plaît ?
AURÉLIE : Tiens, Papa !
M. MARTIN : Merci Lili.
AURÉLIE : Génial ! Il y a *Tintin* sur W9.
ALEXANDRE : Moi, j'aime pas les dessins animés, surtout *Tintin* ! Papa, qu'est-ce qu'il y a sur TV5 ?
M. MARTIN : Euh... attends... Oh ! Il y a *Questions pour un Champion* !
ALEXANDRE : Ouais ! Cool !
AURÉLIE : Moi, je déteste les jeux télévisés...
M. MARTIN : Au-ré-lie...
Mme MARTIN : Et... il y a quoi sur TF1 ?
M. MARTIN : Sur TF1 ? Ah ! Il y a Lyon-Marseille. C'est pas mal, non ?
AURÉLIE : Quoi ? Ah non ! Pas le football !
ALEXANDRE : Ouais... Bof...
M. MARTIN : Mais...
Mme MARTIN : Tu sais chéri... les enfants et moi, nous n'aimons pas beaucoup le football...
M. MARTIN : Oh la la... bon, qu'est-ce que vous aimez, alors ?
Mme MARTIN : Je ne sais pas, moi... le cinéma, par exemple... Qu'est-ce qu'il y a sur Canal + ?
M. MARTIN : Tiens ! Il y a *La Môme* !
Mme MARTIN : *La Môme* ? C'est génial !
En plus, j'adore Marion Cotillard.
ALEXANDRE : Eh bien, moi, je n'aime pas du tout Marion Cotillard !

Leçon 5

1. (1) Répétez après votre professeur. (2) Écoutez l'enregistrement et entourez ce que vous entendez.
1. Il est sûr.
2. Elle est pour.
3. Un début.
4. C'est vous.
5. Saturne.

3. Écoutez et imitez.
– Qu'est-ce que vous aimez faire le week-end ? Sortir ou rester à la maison ?
– Euh... en général, je préfère sortir avec des amis.
– D'accord. Et qu'est-ce que vous aimez faire en particulier ?
– Eh bien, j'aime aller au cinéma ou au restaurant.

– Qu'est-ce que tu voudrais faire ce soir, Lucas ?
– Pourquoi ?
– Eh bien, j'aimerais bien aller au cinéma... Pas toi ?
– Ouais, bof... je préfère rester à la maison. J'ai un examen bientôt....
– Oh là là... Tu es vraiment sérieux !

6. Écoutez, faites comme dans l'exemple puis lisez à voix haute.
Exemple : J'adore sortir, faire les magasins et aller au cinéma.
1. Elle aime rester à la maison et lire.
2. Elle aime rester à la maison, lire et écouter de la musique.
3. Elle aime rester à la maison, lire, écouter de la musique et regarder la télévision.
4. Tu préfères aller au cinéma ou regarder la télévision ?
5. J'aime bien regarder la télévision, mais je préfère aller au cinéma.

11. Écoutez et écrivez.
Vous voudriez sortir ce week-end ?
Vous aimez aller au cinéma ?
Vous adorez les films français ?
Le cinéma Garnier présente le festival du cinéma français.

17. Regardez la vidéo et répondez.
ENQUÊTRICE : Excusez-moi, monsieur... vous avez une minute ?
HOMME : Non, désolé, je n'ai pas le temps.
ENQUÊTRICE : Pardon, madame...
DAME : Oui, c'est pour quoi ?
ENQUÊTRICE : C'est pour une enquête...
DAME : Pour une enquête ? Non, je suis désolée, mademoiselle...
ENQUÊTRICE : Excusez-moi, monsieur... est-ce que vous avez un moment ? C'est pour une enquête...
JEUNE HOMME : Euh... oui... allez-y !
ENQUÊTRICE : Alors, euh... Qu'est-ce que vous aimez faire en général le soir ?
JEUNE HOMME : En général, j'aime bien lire un livre ou regarder la télévision.
ENQUÊTRICE : Et est-ce que vous aimez jouer à des jeux vidéo ?
JEUNE HOMME : Juste un peu.
ENQUÊTRICE : Et le week-end ?
JEUNE HOMME : Ah, par contre le week-end, je préfère sortir.
ENQUÊTRICE : Et qu'est-ce que vous aimez faire en particulier ?
JEUNE HOMME : Eh bien, euh... j'aime beaucoup aller au cinéma ou au restaurant avec des amis.
ENQUÊTRICE : Et le sport ? Est-ce que vous aimez faire du sport ?
JEUNE HOMME : Ah, non. Le sport, je n'aime pas trop ça. Par contre, j'aime bien danser.
ENQUÊTRICE : Ah bon ? Alors, vous aimez bien aller en boîte de nuit ?
JEUNE HOMME : Exactement !
ENQUÊTRICE : Bon... eh bien, merci ! Au revoir !

Leçon 6

1. (1) Répétez après votre professeur. (2) Écoutez l'enregistrement et entourez ce que vous entendez.
1. Lui, il aimerait un chien.
2. Elle, elle n'a pas de hamster.
3. Oui, oui, j'sais bien !
4. Alors, t'es libre ?
5. Désolée mais... je n'ai pas l'temps !

3. Écoutez et imitez.
– Est-ce que vous avez une voiture, Monsieur Legrand ?
– Non, je n'ai pas de voiture...
– Vous n'avez pas de voiture ?
– Non. J'aimerais bien, mais ce n'est pas pratique... Par contre, j'ai une moto.

– Qu'est-ce que tu voudrais pour Noël ?
– Euh... je ne sais pas. Euh... je voudrais un ordinateur.
– Tu n'as pas d'ordinateur ?
– Si, j'ai un PC mais il est trop vieux.

6. Écoutez, faites comme dans l'exemple, puis lisez à voix haute.
Exemple : Cinq/ pour/ cent/ des/ Fran/çais/ on/t un/ pe/ti/t a/ni/mal.
1. Cinquante-deux.
2. Cinquante-deux pour cent.
3. Cinquante-deux pour cent des Français.
4. Cinquante-deux pour cent des Français ont un animal domestique.

11. Écoutez et écrivez.
Adoptez-moi ! Téléphonez au :
06 07 16 17 90 70.
Vous voudriez un animal domestique ?
Vous avez un petit appartement.
Félix est un chat propre et calme.
Il aime les enfants et les personnes âgées.

17. Écoutez et répondez.
PÈRE : Bon, c'est bientôt Noël...
MÈRE : Ah... Eh oui !
PÈRE : Qu'est-ce qu'il voudrait, Léo ?
MÈRE : Il aimerait bien un vélo ou un ordinateur.
PÈRE : Un ordinateur ? Non, Léo est trop petit. Mais un vélo, pourquoi pas ! C'est une bonne idée. Il n'a pas de vélo et il aime aller au parc.
MÈRE : Et pour Chloé ?
PÈRE : Elle voudrait... un petit chien, je crois.
MÈRE : Un petit chien ? Ah non, pas de chien ! Ça ne va pas. C'est sale et c'est trop bruyant.
PÈRE : D'accord... Alors, qu'est-ce qu'on fait ? Pourquoi pas un petit chat ?
MÈRE : Bof... En plus, Léo est allergique. Un poisson rouge, peut-être ?
PÈRE : Non, pour Noël, c'est pas terrible... et c'est un peu ennuyeux. Qu'est-ce qu'elle aime, Chloé ?
MÈRE : Tu sais bien : elle aime les animaux. Et les poupées.
PÈRE : Voilà ! Un gros ours en peluche !
MÈRE : Génial !
PÈRE : Et toi, ma chérie, qu'est-ce que tu voudrais pour Noël ?
MÈRE : Moi, je voudrais... une belle surprise !

UNITÉ 3 – Endroits

Leçon 7

1. (1) Répétez après votre professeur. (2) Écoutez l'enregistrement et entourez ce que vous entendez.
1. C'est près de la tour.
2. À côté de la grande porte.
3. En face de l'opéra.
4. L'Arc de Triomphe ? C'est à Paris.
5. Là, c'est ma mère, mon père et mon frère...

3. Écoutez et imitez.
– C'est magnifique ! Qu'est-ce que c'est ?
– Vous ne connaissez pas ? Ce sont les Champs-Elysées.
– Si, bien sûr. Et... où est-ce que c'est exactement ?
– Eh bien, c'est en France, à Paris, près de l'Arc de Triomphe.

– Elle est belle, ta photo ! C'est quoi ?
– Ben, c'est la tour Eiffel ! Tu ne connais pas ?
– Ben non... Je ne connais pas. C'est où ? C'est connu ?
– C'est en France, à Paris, à côté de la Seine. C'est très célèbre !

6. Écoutez, barrez les lettres qui ne se prononcent pas, puis lisez à voix haute.
Exemple : Est-ce qu'ils connaissent les Champs-Élysées ?
1. Vous connaissez le Palais Royal ?
2. Vous connaissez la place du Palais Royal ?
3. Est-ce que vous connaissez la place du Palais Royal ?
4. Vous connaissez le Louvre, bien sûr, mais est-ce que vous connaissez la place du Palais Royal ?

11. Écoutez et écrivez.
Chère Chloé,
J'habite maintenant à Paris, à côté de la tour Eiffel.
Sur la carte, c'est l'opéra Bastille. Son architecture est moderne.
J'adore la vie à Paris. Les monuments sont magnifiques.
Et il y a aussi beaucoup de musées intéressants.
Gros bisous,
Juliette

17. Écoutez et répondez.
JULIETTE : Ha ha ha ! Elle est amusante, la photo de ton profil, Élodie !
ÉLODIE : Oh, ça va !
JULIETTE : Tiens, c'est quoi ça ?
ÉLODIE : Ce sont mes photos de vacances en Provence.
JULIETTE : Où ça ?
ÉLODIE : Tu connais la Provence, n'est-ce pas, Juliette ?
JULIETTE : Oh, tu sais, je ne suis pas française, alors, la France, je connais un peu, mais pas très bien... Dis donc, elles sont pas mal, tes photos. C'est où ?
ÉLODIE : C'est à Avignon, c'est le palais des Papes. Il est célèbre, tu sais.
JULIETTE : Euh oui, j'connais de nom. Ah, par contre, ça, c'est connu, c'est le pont d'Avignon !
ÉLODIE : Bravo !
JULIETTE : Et ça ? Qu'est-ce que c'est ?
ÉLODIE : Ce sont les arènes de Nîmes.

Annexes

Elles sont très anciennes.
JULIETTE : Ah bon, je n'connais pas...
ÉLODIE : Et il y a des corridas.
JULIETTE : Quoi ? Des corridas ? En France ?
Tiens... ça aussi, je connais ! C'est le pont du Gard !
ÉLODIE : Hé non ! C'est pas ça. C'est le pont de Roquefavour. C'est près de Marseille.
JULIETTE : Le pont de quoi ? Et... c'est connu ?
ÉLODIE : Euh...non, pas très... mais, c'est joli, non ?

Leçon 8

1. (1) Répétez après votre professeur. Écoutez l'enregistrementet entourez ce que vous entendez.
1. Vous connaissez le palais de justice ?
2. J'adore le zoo de Vincennes.
3. Jean Nouvel est un architecte célèbre.
4. Le Champ de Mars ? C'est sous la tour Eiffel.
5. Tu sais où il est, le supermarché ?

3. Écoutez et imitez.
– Tu habites en banlieue ?
– Non, j'habite dans le centre-ville, à côté de la place de la République.
– Ah ? Et il est comment ton quartier ?
– Oh, il est pratique : il y a une poste, des banques et beaucoup de magasins. Par contre, il n'y a pas de cinéma.

– Excusez-moi monsieur, je cherche la poste, s'il vous plaît.
– La poste ? Elle est sur la place de l'église, en face de la mairie.
– La place de l'église ? Où est-ce qu'elle est ?
– Elle est dans le centre-ville.
– Merci monsieur.
– Je vous en prie.

6. Écoutez, faites comme dans l'exemple, puis lisez à voix haute.
Exemple : J'habite dans un grand appartement, près de la mairie, dans le centre-ville.
1. C'est en ville.
2. L'appartement est en ville.
3. Le nouvel appartement est en ville.
4. Le nouvel appartement est situé dans le centre-ville.

11. Écoutez et écrivez.
Estelle habite dans le sixième arrondissement de Paris.
Son appartement n'est pas loin de la station de métro Odéon.
Elle aime son quartier parce qu'il y a beaucoup de restaurants mais la vie est chère.

17. Écoutez et répondez.
CLÉMENT : Il est sympathique, ce café. Et ton quartier aussi !
ROMAIN : Oui, en plus, il est pratique. Il y a une boulangerie, une boucherie, et même la poste près d'ici.
CLÉMENT : Et ça, là-bas, qu'est-ce que c'est ?

ROMAIN : Ça ? C'est l'église Saint-Martin. C'est une église très ancienne, tu sais.
CLÉMENT : Bon, on fait quoi ce soir ? Tu n'aimerais pas aller en boîte de nuit ?
ROMAIN : Euh... Il n'y a pas vraiment de boîte ici.
CLÉMENT : Quoi ? Il n'y a pas de boîte ? Bon, un cinéma, alors ?
ROMAIN : Non plus, mais il y a une pizzeria très sympa sur la place. En plus, elle est tout près d'ici.
CLÉMENT : Ouais, d'accord... Génial.
SERVEUSE : Voilà, ça fait cinq euros, s'il vous plaît.
CLÉMENT : Merci. Dis, j'aimerais passer à la banque. Il y a une banque près d'ici ?
ROMAIN : Près d'ici, non... elle est un peu loin.
CLÉMENT : Où ça ?
ROMAIN : En face de la gare.
CLÉMENT : Ah... On y va ? Je n'ai pas d'argent.
ROMAIN : Si tu veux...

Leçon 9

1. (1) Répétez après votre professeur. (2) Écoutez l'enregistrement et cochez ce que vous entendez.
1. Au revoir !
Au r'voir !
2. Il y a une boulangerie ?
'Y a une boulang'rie ?
3. Je suis fatiguée !
J'suis fatiguée !
4. Je me présente : je m'appelle Henri.
J'me présente : j'm'appelle Henri.
5. Ce week-end, je vais dans le Nord.
C'week-end, j'vais dans l'Nord.

3. Écoutez et imitez.
– Alors, Emma, d'où est-ce que vous venez ?
– Je viens de Bruxelles.
– Tiens ? Et qu'est-ce qu'il y a à voir dans votre ville ?
– Eh bien, il y a une belle place, la Grand-Place. Vous connaissez ?
– Oui, de nom. Et quelles sont les spécialités régionales ?
– Euh... c'est le chocolat, la bière et les frites.

– Tu viens d'où, Manon ?
– Je viens de Blois.
– Ah bon ? Il y a quoi dans ta région ?
– Ben, il y a des châteaux, les châteaux de la Loire. Tu connais ?
– Oui, oui. Et on peut faire quelles activités ?
– Euh... on peut faire du tourisme et des promenades à vélo.

6. (1) Écoutez, (2) comptez le nombre de syllabes, (3) puis lisez à voix haute.
Exemple : J'aime/ me/ pro/me/ner/ le/ same/di.
1. Il y a une belle vue.
2. Vous venez du Languedoc ?
3. Il y a une promenade magnifique.

4. C'est une église très ancienne.
5. La statue de la princesse est derrière.

11. Écoutez et écrivez.
La Camargue est située dans le sud-est de la France. Cette région est connue pour son parc naturel. On peut faire des promenades à cheval. On peut aussi manger des fruits de mer et du poisson.

17. Écoutez et répondez.
AGENTE : Au revoir, monsieur.
HOMME : Au revoir.
AGENTE : Bonjour messieurs dames, je peux vous aider ?
TOURISTE : Bonjour madame, c'est pour un renseignement.
AGENTE : Oui ?
TOURISTE : Je cherche...
FEMME : La cathédrale !
AGENTE : La cathédrale Notre-Dame ? Elle est dans le centre-ville, tout près d'ici.
TOURISTE : Merci. Et...
FEMME : Et dans la région, qu'est-ce qu'il y a à faire ?
AGENT : Eh bien... Qu'est-ce que vous aimez visiter ?
TOURISTE : Euh... j'aime bien...
FEMME : Les monuments historiques.
AGENTE : Les monuments historiques ? Ah, eh bien il y a le château du Haut-Koenigsbourg, bien sûr, et il y a le couvent du mont Sainte-Odile, près d'Obernai.
FEMME : Très intéressant !
TOURISTE : Et, quelles sont vos spécialités régionales ?
AGENTE : Alors, vous avez les vins blancs, comme le Riesling ou le Tokay et il y a bien sûr la choucroute.
TOURISTE : Hum ! Pas mal.
AGENTE : Ah ! Il y a aussi la route des vins d'Alsace, vers Colmar. On peut faire de très jolies promenades.
TOURISTE : Je vous remercie madame.
AGENTE : Je vous en prie. Un autre renseignement ?
TOURISTE : Euh oui : je cherche un hôtel pas trop cher, près du centre.
AGENTE : Près du centre, c'est difficile. Par contre, il y a l'hôtel du Lion, à côté de la gare. Il n'est pas cher et très pratique.
TOURISTE : C'est parfait ! Merci beaucoup !
AGENTE : Merci à vous !
TOURISTE : Au revoir.
AGENTE : Bonne journée !
FEMME : Au revoir.
AGENTE : Au revoir.

UNITÉ 4 – Rendez-vous

Leçon 10

1. (1) Répétez après votre professeur. Écoutez l'enregistrement et cochez ce que vous entendez.
1. C'est bientôt le week-end !

a. (6 syllabes) /se.bjɛ̃.to.lə.wik.ɛnd/
b. (5 syllabes) /se.bjɛ̃.tol.wi.kɛnd/
2. Je regarde la télé ce soir.
a. (9 syllabes) /ʒə.ʁə.gaʁ.də.la.te.le.sə.swaʁ/
b. (6 syllabes) /ʒʁə.gard.la.te.le.sswaʁ/
3. D'abord, le samedi, je fais le ménage.
a. (11 syllabes) /da.bɔʁ.lsa.mə.di.ʒə.fɛ.lə.me.naʒ/
b. (7 syllabes) /da.bɔʁ.lsa.mdi.ʃfɛl.me.naʒ/
4. Moi ? Non, je ne peux pas demain.
a. (7 syllabes) /mwa.nɔ̃.ʒə.nə.pø.pa.də.mɛ̃/
b. (5 syllabes) /mwa.nɔ̃.ʃp.øpa.dmɛ̃/

3. Écoutez et imitez.
– Qu'est-ce que vous faites le mercredi
après-midi ? Vous êtes libre ?
– Le mercredi, non, je ne suis pas libre. Je
travaille et après, je fais des courses.
– Le jeudi matin alors ?
– Oui, le jeudi matin, c'est possible.

– Tu fais quoi ce week-end ? Tu sors samedi
soir ?
– Samedi soir ? Non, je ne peux pas :
dimanche matin, je vais à la piscine.
– Bon, on regarde un film dimanche après-
midi ?
– Bonne idée !

**6. Écoutez, faites comme dans
l'exemple, puis lisez à voix haute.**
Exemple : J'ai / trop de / tra/vail, a/lors
/ je ne / peux / pas / prendre / de / con/gés.
1. J'ai des congés.
2. Je prends des congés.
3. Je peux prendre des congés.
4. Je ne peux pas prendre de congés.
5. Je travaille, alors je ne peux pas prendre
de congés.

11. Écoutez et écrivez.
Salut Laëtitia !
Qu'est-ce que tu fais ce week-end ?
Jean-Marc et moi, nous allons à la montagne.
Nous louons un appartement.
Tu es libre ? Tu ne voudrais pas faire du ski
avec nous ?
Téléphone-moi !
Élodie

17. Regardez la vidéo et répondez.
ÉRIC : Bon... vendredi, 11h45, je pars bientôt
en week-end !
MÉLANIE : Tu ne travailles pas cet après-
midi ?
ÉRIC : Eh non ! Je vais à la montagne faire du
ski avec des amis. On loue
une voiture. Et toi, tu fais quoi ce soir ? Tu
sors ?
MÉLANIE : Non. Ce soir, je regarde un film
avec mon chéri.
CHRISTOPHE : Pfff...
ÉRIC : Et ce week-end ? Tu sais, samedi, il
y a un festival de théâtre sur la place de la
République.
MÉLANIE : ... bof. Tu sais, moi, les festivals... Et
puis, demain matin, on fait le marché. L'après-
midi, on fait une promenade à vélo. Et le soir,
on dîne à la maison avec des amis. Je fais la
cuisine !
Tu aimes la choucroute ? Moi j'adore ça, et

mes amis aussi ! Avec de la bière, c'est très
bon !
ÉRIC : Et dimanche, tu dors ?
MÉLANIE : Nan, je n' peux pas. Dimanche
matin, je vais à la piscine et le midi, on
déjeune à la maison avec la famille.
Tu aimes le poulet-frites ?
CHRISTOPHE : Excusez-moi ! Je peux
travailler ? J'aimerais téléphoner à un client.

Leçon 11

**1. (1) Répétez après votre professeur.
(2) Écoutez l'enregistrement et
entourez ce que vous entendez.**
1. un euro
2. deux heures
3. cinq heures
4. sept euros
5. neuf heures

3. Écoutez et imitez.
– À quelle heure est-ce que vous finissez de
travailler ce soir, monsieur Lecomte ?
– Ce soir, je pars du bureau vers vingt
heures. Je finis tard. J'ai un rendez-vous
avec un client.
– Et demain matin, à quelle heure
est-ce que vous arrivez au bureau ?
– Demain, je commence à huit heures. J'ai
une réunion.

– Tu pars de la maison à quelle heure
demain ?
– Je pars vers sept heures et demie. Demain,
je commence le travail à huit heures et
quart.
– Et tu rentres à la maison vers quelle heure ?
– Eh bien, je finis le travail à six heures, je
prends le tramway et j'arrive à la maison
vers sept heures moins le quart.

**6 Écoutez, faites comme dans
l'exemple, puis lisez à voix haute.**
Exemple : Il part à quelle heure, le train pour
Bruxelles ?
– Il part à huit heures vingt-cinq.
1. En première ?
2. En première classe, s'il vous plaît.
3. En seconde classe ?
4. En seconde.
5. Vous voulez un billet ?
6. Vous voulez un billet en première ou en
seconde classe ?

11. Écoutez et écrivez.
Chérie, ce soir, je finis mon travail vers 20 h.
Ensuite, je vais au restaurant avec des
clients.
Je rentre à la maison vers 22 h.
Mange sans moi !
À ce soir !
Laurent

17. Écoutez et répondez.
CLIENT : Bonjour madame, je voudrais
réserver trois billets pour Nîmes,
s'il vous plaît.
AGENTE : Quand est-ce que vous voulez
partir ?

CLIENT : Samedi matin.
AGENTE : Alors, vous avez un TGV
à 10 h 38 ou à 11 h 10.
CLIENT : Le train de 10 h 38 arrive à quelle
heure, s'il vous plaît ?
AGENTE : À 13 h 32.
CLIENT : Oui, c'est très bien. C'est très très
bien.
AGENTE : Aller simple ou aller-retour ?
CLIENT : Euh... Pardon, et le train de
11 h 10, il arrive à quelle heure ?
AGENTE : À 14 h 06.
CLIENT : Bon, d'accord, alors le train
de 11 h 10.
AGENTE : Très bien. Aller simple ou aller-
retour ?
CLIENT : Aller simple.
AGENTE : En première ou en seconde classe
? Pour 5 euros de plus, vous pouvez voyager
en première classe.
CLIENT : Non, non, merci. En seconde, s'il
vous plaît.
AGENTE : D'accord. Alors, trois allers simples
Paris-Nîmes, demain à 11 h 10, en seconde
classe...
CLIENT : Excusez-moi, on peut voyager
en première classe pour 5 euros de plus,
n'est-ce pas ?
AGENTE : Oui. Vous voulez des places
en première classe ?
CLIENT : Oui, en première s'il vous plaît...
AGENTE : Très bien... Alors, trois allers
simples Paris-Nîmes, demain à 11 h 10,
en première classe.
CLIENT : Excusez-moi ?
AGENTE : Oui ?
CLIENT : Désolé. Le train de 10 h 38,
en première classe, s'il vous plaît.
AGENTE : Pardon ?
CLIENT : Je voudrais des places dans le train
de 10 h 38.
AGENTE : Vous êtes sûr ?
CLIENT : Oui, désolé. Combien ça fait,
s'il vous plaît ?
AGENTE : Bien... Alors, ça fait 186 euros.
Vous payez comment ?
CLIENT : Par carte bleue, s'il vous plaît.
AGENTE : Allez-y, composez votre code.
Vous pouvez retirer votre carte. Voilà.
CLIENT : Merci Madame.
AGENTE : Au revoir, et bon voyage !
AMI : Allô, Julien ? Alors, tu as les
réservations ? On part quand ?
CLIENT : Samedi matin, à 10 h 38.
Et on arrive à Nîmes à 13 h 32.
AMI : Ah non ! Mon cours de français finit à
dix heures et demie. Il y a un train après ?

Leçon 12

**1. (1) Répétez après votre professeur.
(2) Écoutez l'enregistrement et
entourez ce que vous entendez.**
1. Nous visitons le pont d'Avignon.
2. Je t'attends dans la cour, sur le banc.
3. Aujourd'hui, les étudiants s'en vont...

Annexes

4. Simon va visiter le mont Saint-Michel.
5. À Noël, le loto double les gains !
6. Allez les enfants, mettez-vous en rang, s'il vous plaît.
7. L'exercice suivant n'est pas long.

3. Écoutez et imitez.
– Vous venez déjeuner avec nous, Madame Bonnet ?
– Je voudrais bien, mais je ne peux pas. Je dois travailler.
– Et vous, Monsieur Girard, vous voulez venir avec nous ?
– Oui, avec plaisir !

– Tu es libre vendredi soir, Lola ?
– Oui, pourquoi ?
– On va en boîte. Tu veux venir avec nous ?
– C'est gentil, merci, mais je ne peux pas. Je dois passer un examen samedi matin.

6. Écoutez, notez l'intonation, puis lisez à voix haute.
Exemple : Un café, s'il vous plaît ! / S'il vous plaît, un café !
1. On va en boîte, vendredi soir ! / Vendredi soir, on va en boîte.
2. On dîne, puis on part. / On part, puis on dîne.

3. On se voit sur la place, à sept heures. / À sept heures, on se voit sur la place.
4. Rendez-vous au café, après le cours. / Après le cours, rendez-vous au café.

11. Écoutez et écrivez.
Salut Kévin !
Samedi soir, je fais une fête.
La soirée commence à dix-neuf heures.
Est-ce que tu peux venir avec du vin et du fromage ?
Téléphone-moi ! À samedi.
Camille

17. Écoutez et répondez.
LES ÉLÈVES : Au revoir, monsieur. À la semaine prochaine !
JÉRÉMY : Hé, Mélanie, Sébastien et moi, on voudrait prendre un verre vendredi soir. Tu veux venir avec nous ?
MÉLANIE : Encore ? Vendredi soir ? Je voudrais bien mais je ne peux pas.
JÉRÉMY : Allez, viens !
MÉLANIE : Non, c'est impossible. Tu vois, je dois passer le test de dessin samedi matin...
JÉRÉMY : Ah... Bon, tant pis, je comprends. C'est dommage.
MÉLANIE : La prochaine fois, peut-être...

JÉRÉMY : OK. Bon courage pour le test, hein ! Dites, mesdemoiselles, est-ce que vous êtes libres pour prendre un verre vendredi soir ?
CÉLINE : Vendredi soir ?
MARION : Vendredi soir ?
CÉLINE : Hé non, nous allons au cinéma avec nos copains.
JÉRÉMY : Ah ? Ok ! Pas de problème. Bon ciné, hein !
MARION : Merci, bonne chance !
JÉRÉMY : Eh ben, je n'ai pas de chance ! Tiens, voilà le professeur. Au revoir, monsieur, à mercredi prochain !
PROFESSEUR : Tiens, vous êtes là ? Vous aimeriez voir une exposition vendredi soir ?
JÉRÉMY : Ah ? Une exposition ? Euh... de qui ?
PROFESSEUR : De Monet ! Il y a une exposition de peintures de Monet, vous ne savez pas ?
JÉRÉMY: Euh si, bien sûr, mais... Ah zut ! Je ne peux pas !
PROFESSEUR : Ah bon ? Vous ne pouvez pas ?
JÉRÉMY : Ben non euh samedi matin, on doit passer le test de dessin !
PROFESSEUR : Ah bon ? Très bien ! Venez-vous inscrire, alors !

N° de projet : 10291656
Achevé d'imprimer en France en mars 2023 sur les presses de l'imprimerie Chirat - N° 202302.0164